LE HOCKEY
C'EST DANS LA TÊTE !

Catalogage avant publication de Bibliothèque et Archives nationales du Québec et Bibliothèque et Archives Canada

Guimond, Sylvain

Le hockey, c'est dans la tête!: joueurs, parents et entraîneurs de hockey, voici votre référence pour optimiser vos performances

ISBN 978-2-89225-793-9

1. Hockey – Aspect psychologique. 2. Hockey – Entraînement. I. Titre.

GV847.3.G84 2012   796.96201'9   C2012-942165-0

Adresse municipale:
Les éditions Un monde différent
3905, rue Isabelle, bureau 101
Brossard (Québec) Canada J4Y 2R2
Tél.: 450 656-2660 ou 800 443-2582
Téléc.: 450 659-9328
Site Internet: www.umd.ca
Courriel: info@umd.ca

Adresse postale:
Les éditions Un monde différent
C.P. 51546
Greenfield Park (Québec)
J4V 3N8

Dépôts légaux: 4e trimestre 2012
Bibliothèque nationale du Québec
Bibliothèque nationale du Canada
Bibliothèque nationale de France

Conception graphique de la couverture:
OLIVIER LASSER ET AMÉLIE BARRETTE

Photocomposition et mise en pages:
ANDRÉA JOSEPH [pagexpress@videotron.ca]

Typographie: Minion 12 sur 15 pts (CS 5.5)

ISBN 978-2-89225-793-9

Nous reconnaissons l'aide financière du gouvernement du Canada par l'entremise du Fonds du livre du Canada (FLC) pour nos activités d'édition.

Gouvernement du Québec – Programme de crédit d'impôt pour l'édition de livres – Gestion SODEC.

Gouvernement du Québec – Programme d'aide à l'édition de la SODEC.

IMPRIMÉ AU CANADA

Sylvain Guimond, Ph. D.

LE **HOCKEY**
C'EST DANS LA **TÊTE !**

UN MONDE DIFFÉRENT
1977 2012

Table des matières

Préface

Sur les glaces de quartier, ou encore sur celles de la Ligue nationale de hockey (LNH), ce qui fait la différence entre tous les joueurs, c'est souvent ce qui se passe dans leur tête. Sachant cela, Sylvain n'aurait pas pu dire plus juste : « Le hockey, c'est dans la tête ! »

Au cours de ma carrière, j'ai vu évoluer toutes sortes de joueurs de hockey : des très talentueux mais paresseux, aux moins doués mais plus engagés. Ce qui fait la différence entre ces joueurs est souvent une question de passion, de persévérance et de détermination. Par conséquent, le côté psychologique est indissociable du succès dans le hockey.

Comme Sylvain et moi partageons la même passion, nous avons souvent eu la chance d'échanger sur la psychologie du sport. Grâce à cette vision commune, nous avons développé à la fois une amitié et une belle complicité.

Je crois fermement que la psychologie du sport joue un grand rôle dans la vie d'un joueur de hockey. C'est pourquoi vous trouverez dans ce livre plusieurs réponses à vos questions.

Michel Therrien

Avant-propos

Lors d'une rencontre avec Marc Fisher, un auteur des plus prolifiques dont le livre *Le Millionnaire* s'est vendu à plus de deux millions d'exemplaires, je lui ai fait part de mon projet d'écriture, *Le hockey, c'est dans la tête!* Un livre simple, rempli de conseils utiles à mettre en application immédiatement dans plusieurs facettes de la vie.

Son enthousiasme fut tel qu'il m'a immédiatement recommandé à son éditeur Michel Ferron, des éditions Un monde différent, à qui j'ai proposé de préparer un ouvrage parfaitement ciblé pour les hockeyeurs, visant à les aider à atteindre leurs buts, à réaliser leurs rêves et à se dépasser. Michel a aimé l'idée que ma matière s'adresse aussi bien aux joueurs de hockey qu'à leurs parents et à leurs entraîneurs. Il a donc décidé de m'appuyer en ce sens, et voilà, le projet était lancé. Vous y découvrirez que nous sommes le résultat de nos croyances.

Dans une autre de ses œuvres, *Le Golfeur et le Millionnaire*, Marc Fisher raconte qu'un millionnaire met au défi un jeune golfeur de caler un coup roulé de trois pieds (moins d'un mètre) et lui promet de lui donner une certaine somme d'argent s'il y parvient, mais en augmentant la mise à chacune de ses tentatives. Au début, le jeune golfeur réussit facilement à relever le défi lorsque la mise est d'un dollar. Mais il panique et il en va tout autrement pour lui quand l'enjeu grimpe à plusieurs dizaines de milliers de dollars.

En psychologie du sport, j'utilise régulièrement cette anecdote pour bien faire comprendre que, si on y réfléchit bien, peu importe le pari lancé, un roulé de trois pieds demeure un simple coup roulé, ni plus ni moins. On retrouve dans cet exemple toute l'importance de notre discours interne et de l'effet qu'exerce notre pensée sur nos actions.

Ainsi, selon le sérieux de nos convictions, ce qui se passe dans notre tête peut nous aider ou nous nuire. Si nous croyons que nous allons échouer, il est probable que cela se produise. À l'inverse, si nous sommes convaincus de réussir, de pouvoir y arriver coûte que coûte, nous mettons toutes les chances de notre côté pour y parvenir.

C'est d'ailleurs ce que j'ai cherché à communiquer cet été – lors de ma journée de travail intensif en vue de la nouvelle saison de la LNH –, quand Michel Therrien et Marc Bergevin m'ont demandé de présenter ma perception de la psychologie du sport au hockey. J'ai donc préparé une présentation indiquant comment tirer le maximum de ses joueurs en les connaissant bien et en précisant le rôle d'un spécialiste en psychologie du sport auprès d'une équipe de hockey professionnelle, selon moi.

Comme j'avais travaillé avec Michel Therrien à sa préparation pour l'obtention du poste d'entraîneur en chef des Canadiens, j'ai commencé ma présentation en disant : « Puisque le rêve de Michel est d'aller jusqu'à la coupe Stanley avec son équipe, inscrivons "coupe Stanley" sur le site Internet Google Maps. » Et voilà qu'apparaît à l'écran l'itinéraire vers *Stanley Cup Drive* à Las Vegas, soit un total de 42 heures de route à partir du Centre Bell.

Il en est de même dans nos vies avec nos rêves et nos buts, il faut savoir où nous sommes et où nous souhaitons nous rendre. Bien entendu, peu importe le voyage entrepris et l'itinéraire à parcourir, il peut survenir des obstacles en cours de route, mais en ce qui a trait aux Canadiens, tout est possible avec l'aide de l'entraîneur principal, des entraîneurs adjoints, et en optimisant les performances de ses joueurs.

Pour continuer dans ce sens et résumer les grandes lignes d'une équipe de hockey, j'ai donné aux dirigeants des Canadiens un exemple d'organigramme sur lequel on voyait justement l'entraîneur en chef au centre, des entraîneurs adjoints et chaque joueur répartis autour. J'avais pris soin également de donner des couleurs différentes aux joueurs pour qu'ils comprennent bien que chacun a sa personnalité. J'expliquais aussi le rôle que j'entendais jouer sur le plan de la psychologie du sport, une forme de relation d'aide.

Je crois que nous n'inventons rien. Nous fabriquons de nouveaux éléments (ou nous créons une nouvelle vision) grâce à la somme de nos expériences et de nos

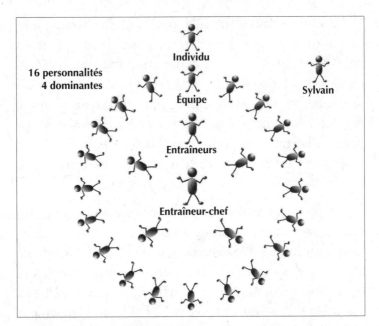

Le schéma de départ de cet organigramme est en couleur avec des teintes différentes pour chaque personnalité. La vie d'entraîneur serait facile si tout le monde avait la même personnalité, mais dans une équipe, il y a différentes personnalités.

connaissances. C'est du moins ce que j'ai compris, il y a plusieurs années, en compagnie de 14 autres étudiants au doctorat. Nous attendions Will Stillwell, un professeur d'un certain âge, qui était le bras droit de Carl Rogers, l'un des pères de la psychologie moderne. Il devait donc posséder un énorme bagage d'expérience et nous étions excités à l'idée qu'il nous enseigne. Lorsqu'il est entré dans la salle, vêtu d'un bermuda et de sandales, il s'est assis devant nous et il nous a observés pendant 15 longues minutes sans rien dire !

Après cette attente silencieuse interminable, il a dit : « C'était drôle de voir comment vous étiez mal à l'aise en silence... Et pourtant, c'est souvent dans le silence que l'on trouve nos réponses.» Je me souviendrai toujours de ce qu'il a ensuite ajouté : « Vous êtes tous ici parce que vous désirez aider d'autres personnes. C'est générale-ment la raison pour laquelle on étudie en psychologie. Mais lorsque nous sommes en relation d'aide, nous devons nous poser une question : qui aide qui ? » Une simple question qui bouleversa toute notre approche et changea nos perceptions. Seuls quelques mots avaient suffi à basculer notre façon de voir les choses, ce que j'ai approfondi depuis.

Tout comme je l'ai fait pour plusieurs organisations et pour bien d'autres, je souhaite vous transmettre mes connaissances acquises en psychologie sportive afin de permettre aux jeunes hockeyeurs et aux intervenants d'améliorer et de développer leur potentiel, de voir les choses différemment. Car au-delà du talent, il y a l'atti-tude. Voilà pourquoi j'affirme que « c'est dans la tête » que tout se passe.

Si l'aspect psychologique enraciné dans plusieurs sports est un élément primordial à privilégier, c'est toujours une approche assez nouvelle au hockey. Or, qu'on soit parents, joueurs ou entraîneurs, nous avons tous quelque chose à apprendre. Et si cet apprentissage vous incitait à faire des gestes concrets, à passer à l'action ?

J'espère sincèrement vous y aider. C'est le chemi-nement auquel je vous invite dans les prochaines pages...

Sylvain Guimond, Ph. D.

À qui s'adresse ce livre ?

Ce livre s'adresse aux joueurs qui souhaitent accéder à un niveau supérieur, peut-être même à la Ligue nationale de hockey (LNH), parce qu'ils ont le talent et surtout la détermination pour y arriver. Il est prouvé qu'il est beaucoup plus important d'avoir de la détermination et de la persévérance que du talent pour accéder aux ligues professionnelles de hockey. Il vise aussi à donner des outils à ceux qui veulent aller aussi loin que leurs possibilités le leur permettent. Il est destiné également aux parents et aux entraîneurs qui ont un rôle majeur à jouer dans ce développement, et qui les soutiennent dans leur évolution et leurs rêves. Et même si vous n'atteigniez pas la LNH, ce que vous aurez appris avec moi, et surtout ce que vous aurez mis en pratique après la lecture de ce livre, vous aidera dans plusieurs domaines de votre vie.

Dans notre société moderne, il n'est pas toujours facile d'être parents. Tout va toujours trop vite et coûte de plus en plus cher. Chaque parent souhaite ce qu'il y a de mieux à ses enfants. Or, pour être un bon parent, il faut aimer ses enfants et les aider le plus possible à devenir autonomes – un exercice souvent difficile puisqu'il suppose de s'en détacher quelque peu pour les responsabiliser et les aider à voler de leurs propres ailes.

En tant que parents, on doit toujours se demander : *Est-ce qu'en ce moment j'agis dans mon propre intérêt ou dans l'intérêt de mon enfant ?* Il faut s'oublier pour aider son jeune. Pour y arriver, l'amour inconditionnel est indispensable. Nous devons tenter à tout prix de soutenir nos enfants, sans les pousser ou les écraser. Je suggère aux parents de faire un pas en arrière, de prendre un peu de recul et d'observer ce qui se passe vraiment avec leurs enfants. Prenez un moment de silence pour vous recentrer et déterminer comment les aider à réussir dans la vie.

Vous maintenant, qui vous engagez comme entraîneurs et formateurs, vous exercez, à mon avis, le plus beau des métiers. Vous êtes de ceux qui sculptent la société de demain. Oui, c'est une lourde tâche, un mandat exigeant. Mais c'est aussi un travail important, car les parents vous ont confié ce qu'ils avaient de plus précieux, leurs enfants.

Vous devez être conscients de l'importance de votre rôle, et comme les parents, vous devez vous oublier pour le bien des jeunes. Partagez vos connaissances, votre passion et vos rêves, et pour cela, aimez les jeunes et leur sport.

Ceux qui ont vu leurs athlètes connaître du succès savent que rien n'égale le plaisir et la joie ressentis à voir réussir un jeune que nous avons aidé à réaliser ses rêves.

Soyez un leader aujourd'hui pour que demain vos protégés deviennent les leaders de notre société.

D'ailleurs, quand je fais référence aux entraîneurs, j'inclus tous ceux qui participent aux ligues mineures de hockey. Ceux et celles qui consacrent des dizaines, des centaines d'heures au hockey pour qu'il soit un jeu où les jeunes peuvent s'amuser et se dépasser dans un environnement sain et juste.

J'ajouterai un mot pour les arbitres, dont le rôle est essentiel, mais qui n'en demeurent pas moins les mal-aimés de tous les sports. Nous avons trop souvent tendance à les blâmer et à critiquer certaines de leurs décisions sans prendre conscience que nous sommes injustes de les engueuler de la sorte. Non seulement agissent-ils avec compétence et dans le respect, à la fois des règlements et des jeunes, mais ils s'assurent surtout que nos enfants évoluent dans un milieu aussi sécuritaire que possible.

Voilà ceux auxquels je m'adresse dans ce livre. Bien entendu, l'essentiel est consacré aux jeunes joueurs. Mais je crois que nous avons tous quelque chose à gagner à bien comprendre certains processus psychologiques.

Vous voyez, on reconnaît une personne à son attitude corporelle et sa démarche. Sur le plan psychologique, un athlète se démarque par son attitude mentale : sa capacité à tirer le meilleur parti des situations, à donner le meilleur de lui-même, à prendre de bonnes décisions, à contenir ses émotions, à se calmer ou encore à se stimuler afin d'atteindre sa zone d'efficacité, à avoir une grande estime de lui-même, à établir des liens solides et harmonieux avec ses pairs, à se motiver sans relâche vers l'atteinte de ses buts, et plus encore.

Depuis des années, je m'investis auprès de nombreuses équipes professionnelles de hockey. J'ai eu l'occasion et la chance de rencontrer les meilleurs joueurs et les entraîneurs les plus compétents. Si j'ai pu leur donner un coup de main à certains égards, j'en ai aussi énormément appris sur le cheminement qu'il faut suivre pour réaliser ses rêves au hockey. Comment devient-on l'un des meilleurs du monde ? Est-ce seulement une question de talent et d'aptitudes ? Après avoir vu et discuté avec des centaines de joueurs de la LNH, je crois que la réponse est non !

Oui, il en faut du talent, car la volonté seule ne permet pas à qui le veut d'atteindre les grandes ligues. Mais plusieurs autres caractéristiques font que l'on croit en soi et qu'on est prêt à prendre les moyens comme la détermination, la persévérance et l'engagement ferme, tout en étant prêt à payer le prix pour arriver à nos fins. Non ! Le talent seul ne suffit pas. Il faut de la passion.

Plusieurs concepts de psychologie entrent en jeu pour réussir. Je vais bien sûr vous les dévoiler au fil de ces pages. De plus, pour éviter de me lancer dans des explications trop intellectuelles et pour demeurer le plus concret possible, j'ai demandé à mon fils adolescent de m'assister dans cette aventure, car c'est aussi un joueur de hockey. Toutefois, si vous voulez aller encore plus loin, je vous invite à consulter mon site Internet www.sylvain guimond.com, où il est possible d'interagir et d'établir un parcours beaucoup plus personnalisé.

Comme le chantait si bien Michel Legrand dans *Les moulins de mon cœur* : «Comme une pierre que l'on jette dans l'eau vive d'un ruisseau et qui laisse derrière elle des milliers de ronds dans l'eau», la publication d'un livre c'est en quelque sorte une toute petite pierre jetée dans l'eau vive de votre esprit, apte à créer des ondes beaucoup plus importantes que celles espérées d'un écrit, si modeste soit-il. Mais quand les gens l'aiment et en parlent, les ondes qui s'en dégagent créent un enchaînement qui permet aux connaissances d'être transmises, et parfois bien au-delà des attentes.

Si les lecteurs ne retenaient qu'une seule phrase, mais que cette dernière a le pouvoir d'améliorer leur vie, ce serait fantastique. Je souhaite cependant que vous en reteniez plus d'une, car la partie la plus importante d'un ouvrage comme celui-ci, c'est celle que l'on partage.

Si, après avoir terminé votre lecture, vous décidez d'en parler, vous en récolterez deux fois plus de bienfaits, car on retient 90 % de notre apprentissage en l'enseignant. Donc, aider autrui est la meilleure façon de s'aider soimême. C'est si simple, n'est-ce pas ?

« Notre vie est un livre qui s'écrit tout seul. Nous sommes des personnages de roman qui ne comprennent pas toujours bien ce que veut l'auteur. »

– JULIEN GREEN

1

Avoir la passion

Pour atteindre les buts élevés que nous nous fixons, la passion est indispensable. C'est le moteur qui nous fournit la détermination nécessaire pour traverser les épreuves ou les obstacles qui peuvent s'élever devant nous.

La passion est souvent définie comme une émotion puissante et une inclination très vive à un but ou un objet. D'une certaine façon, la passion produit un déséquilibre, car l'objet de la passion prend beaucoup de place. C'est pourquoi il faut cependant se méfier de la passion. Pour reprendre la phrase de John Gorka : «Agissez avec passion, mais pensez avec clarté.» Tout est dans la mesure. La passion est essentielle pour vous motiver et vous pousser à agir, mais il vous faut rester vigilant et ne pas négliger d'autres aspects importants de votre vie, même s'ils ne sont pas intimement liés à votre passion.

Donc, une fois que vous aurez découvert votre passion, que vous serez prêt à y travailler avec acharnement, il vous faudra avoir la clarté d'esprit nécessaire pour distinguer le sens que vous donnerez à votre vie.

Depuis plus de 20 ans, j'ai rencontré plusieurs athlètes de haut niveau, des gens d'affaires ayant réussi et des artistes réputés. Bien que ces gens aient été ou soient toujours au sommet de leur discipline, ils me consultaient en tant que spécialiste en psychologie du sport. Pourquoi ? En les écoutant, j'ai découvert qu'ils sont au sommet de leur art, justement parce qu'ils ne laissent rien au hasard pour s'assurer d'être les meilleurs et de continuer de l'être.

Quel que soit leur domaine, ils possèdent plusieurs points importants en commun : leurs rêves, l'enthousiasme et la persévérance. Ils savent ce qu'ils veulent et ils prennent tous les moyens pour y arriver.

Alors vous, que voulez-vous vraiment ? Que désirez-vous profondément ? Vous avez sûrement un rêve. Quel est-il ? Être le meilleur joueur de votre ligue, à votre position ? Faire partie de la Ligue de hockey junior majeur du Québec (LHJMQ) ? Jouer dans la Ligue nationale ?

Votre rêve vous appartient et vous devez le trouver. Ne vous attendez pas à ce qu'il vous arrive comme par magie. La détermination et la passion vous aideront à l'atteindre. Car pour parvenir un jour au bonheur, il nous faut trouver un objectif dans la vie. Nous sommes tous en ce monde pour une raison : pour nous accomplir. Il faut se questionner profondément afin de découvrir ce qui nous rend vraiment uniques.

En ce moment, certains d'entre vous cherchent une réponse à cette question. Mais ce qu'il y a de plus regrettable, c'est que plusieurs se cherchent parmi vous. Arrêtez-vous un instant et puisez au fond de vous. Regardez la personne que vous êtes. Vous avez sûrement un rêve que vous avez mis de côté dans un coin de votre cœur, peut-être par manque de confiance ou en le croyant irréalisable.

IL ÉTAIT UNE FOIS UN PETIT GARÇON CHINOIS QUI, DANS SON VILLAGE NATAL, RÊVAIT DE DEVENIR LE SAGE DU VILLAGE. UN BON MATIN, PRENANT SON COURAGE À DEUX MAINS, IL SE PRÉSENTA À LA PORTE DU SAGE DU VILLAGE ET Y FRAPPA. LORSQUE LE VIEIL HOMME RÉPONDIT, IL LUI DIT: «J'AIMERAIS VOUS DEMANDER CONSEIL. JE RÊVE DE VOUS REMPLACER UN JOUR, DE DEVENIR LE SAGE DE CE VILLAGE. DITES-MOI CE QUE JE DOIS FAIRE POUR QUE MON RÊVE SE RÉALISE.»

LE VIEUX SAGE DIT AU JEUNE GARÇON: «VIENS AVEC MOI, JE VAIS TOUT T'EXPLIQUER, MAIS AUPARAVANT ALLONS NOUS BAIGNER DANS L'ÉTANG.» UNE FOIS RENDUS LÀ, ILS SAUTENT DANS LA MARE QUAND SOUDAIN LE VIEUX SAGE LUI PREND LA TÊTE ET L'ENFONCE SOUS L'EAU. LE JEUNE SE DÉBAT JUSQU'À L'ÉPUISEMENT. TOUT À COUP, L'HOMME LUI RETIRE LA TÊTE DE L'EAU ET LUI POSE CETTE QUESTION: «LORSQUE TU ÉTAIS SOUS L'EAU, QUE DÉSIRAIS-TU LE PLUS AU MONDE?»

LE PETIT GARÇON CHINOIS LUI RÉPONDIT SANS HÉSITER: «DE L'AIR!» LE SAGE LUI DIT ALORS: «LORSQUE TU DÉSIRERAS TON RÊVE AUTANT QUE TU SOUHAITAIS RESPIRER CET AIR QUAND TU ÉTAIS SOUS L'EAU, TU L'OBTIENDRAS.»

Maintenant que vous avez votre rêve entre les mains, vous devez vous engager à agir, et vous vivrez alors une des plus formidables aventures de votre vie. Lorsque vous vous investirez pour acquérir une totale confiance en vous, vous ne serez jamais plus le même par la suite.

En découvrant pourquoi vous êtes ce que vous êtes, vous entreverrez aussi la clé pour devenir ce que vous voulez être. Il faut savoir d'où l'on part pour déterminer où l'on va. Il ne faut pas s'imposer de limites. Trop souvent, malheureusement, nous nous laissons décourager par le moindre obstacle ou par ce que les gens nous disent. Vos parents, votre famille, votre entraîneur ou la société ne sont pas responsables de vos échecs ou de vos succès. C'est vous qui permettez aux autres de contrôler votre vie. Alors, ne tardez plus. Prenez votre vie en main.

Les gens me consultent parce qu'ils manquent de confiance en eux-mêmes. Souvent, des parents prennent rendez-vous pour leur jeune adolescent qui non seulement ne croit plus en ses possibilités, mais qui ne croit plus du tout en lui.

Pour acquérir plus de confiance en vous-mêmes, que vous soyez sportifs ou gens d'affaires, c'est une question d'état d'être et non de volonté. L'être que nous sommes est la somme de ce à quoi nous croyons. C'est un mythe de penser que la volonté suffit.

Changer le monde est impossible, mais vous pouvez vous changer vous-même ! La situation du monde s'améliorera quand chaque individu aura pris en charge sa propre vie. Cependant, les gens ont tendance à croire qu'ils peuvent changer leur vie par le simple pouvoir de leur volonté. C'est une erreur. Il faut comprendre que nous nous heurtons toujours à nos propres pensées et qu'elles sont parfois négatives.

En effet, les pensées négatives, engendrées par l'imagination et encouragées par l'entourage, contraignent souvent des gens à échouer. Quels que soient leurs efforts, ils ne réussissent pas et n'y parviendront pas. Ils se font une fausse image d'eux-mêmes et de la vie, et ils y croient dur comme fer. Malgré toutes leurs habiletés, leurs bonnes intentions, leurs efforts et leur bonne volonté, ils sont impuissants.

Certains jeunes joueurs entrent sur la glace, convaincus qu'ils ne pourront pas réussir à bien jouer, qu'ils ne pourront pas faire la différence. Bien entendu, ils ne se le disent pas en des termes aussi clairs, mais au plus profond d'eux, ils croient qu'ils ne sont pas de la race de ceux qui parviennent à se démarquer.

Personne ne devrait avoir à convaincre un individu de la fausseté de quoi que ce soit, à moins qu'à la suite d'expériences et d'études personnelles, ce dernier change lui-même d'idée. Un individu qui admet qu'une fausseté devient une vérité change ainsi toutes ses réactions, et également les gestes qui s'ensuivent.

Vous devez cesser de croire en ces « fausses croyances », ces mensonges qui vous ont empêché de vivre la vie pleine et sans limites que vous désirez vivre. Voulez-vous apporter un changement fondamental à votre vie ou à votre jeu ? Vous devez premièrement connaître la racine de vos problèmes, et celle-ci est probablement liée à vos « croyances ».

Vous découvrirez que plusieurs des choses que vous croyez vraies ne le sont pas, en réalité. Cela débute généralement par votre monologue intérieur. Soyez prudent, car ce que vous vous dites s'enregistre dans votre inconscient qui emmagasine ces fausses perceptions. La seule façon de changer ces croyances erronées est de refaire le chemin en sens inverse.

C'est donc en utilisant un nouveau langage intérieur, plus vrai, plus respectueux, plus puissant, que vous aiderez votre inconscient. Lorsque vous planterez de façon consciente des graines de confiance dans le jardin secret de votre inconscient, vous obtiendrez un bouquet de possibilités. Cela représentera votre avenir, car ce sera le reflet de vous-même et de la beauté de votre unicité.

Nos concepts et les choses que nous imaginons sont basés sur ce que nous croyons vrai et concret, même si, en réalité, tout est déformé ou inexact. *La vérité est dans l'œil de celui qui regarde*, dit l'adage. Si vous avez la conviction qu'une fausseté est vraie, alors elle le sera dans votre réalité et vous agirez en conséquence. Pour progresser, vous devez cesser d'entretenir de fausses croyances ou de fausses convictions, comme je les nomme.

Vous savez certainement que je suis, comme des milliers de Québécois, un véritable fanatique du hockey. Quand on aime autant ce sport et que l'on donne naissance à un garçon, on voudrait lui

FAIRE CHAUSSER DES PATINS AVANT MÊME QU'IL NE MARCHE. C'EST UN PEU CE QUE J'AI FAIT AVEC MON FILS. IL AVAIT TROIS ANS LORSQUE JE L'AI EMMENÉ POUR LA PREMIÈRE FOIS À L'ARÉNA AVEC SES PETITS PATINS. J'AVAIS ACHETÉ UN SUPPORT UTILISÉ POUR AIDER LES DÉBUTANTS À APPRENDRE À PATINER. CURIEUX, IL A EXAMINÉ CE MACHIN, PUIS IL S'EST TOURNÉ VERS MOI AVEC UNE EXPRESSION QUE JE N'OUBLIERAI JAMAIS ET QUI SEMBLAIT DIRE : «JE N'AI PAS BESOIN DE ÇA!» IL EST PARTI COMME UNE FLÈCHE ET A FAIT LE TOUR DE LA PATINOIRE SANS TOMBER. J'AI SU À CE MOMENT-LÀ QU'IL SERAIT PASSIONNÉ PAR CE SPORT.

LE HOCKEY EST POURTANT UN SPORT TRÈS INGRAT. LORSQUE J'AI EU 12 ANS, APRÈS AVOIR CONNU DE BELLES SAISONS DANS DIFFÉRENTES ÉQUIPES INTERCITÉS, J'AI PARTICIPÉ À UN CAMP DE SÉLECTION ET, À LA TOUTE FIN, L'ENTRAÎNEUR, DE FAÇON MALADROITE, M'A APPRIS QU'IL NE POUVAIT ME GARDER DANS L'ÉQUIPE À CAUSE DE MA PETITE STATURE. LE CHOC FUT TERRIBLE, CAR J'AI INTERPRÉTÉ SES PAROLES COMME SI JE N'AVAIS PAS SUFFISAMMENT DE TALENT POUR ALLER PLUS LOIN.

J'AIMAIS AUSSI LE BASEBALL, ET J'Y *PERFORMAIS* TRÈS BIEN, MAIS MA PASSION POUR LE HOCKEY ÉTAIT PLUS FORTE QUE TOUT. ON LE SAIT, LA PASSION, QUAND ELLE NOUS TIENT, PREND TOUTE LA PLACE. ELLE EST UNIQUE ET INTRANSIGEANTE. NUL NE PEUT LUI DICTER LE CHEMIN À EMPRUNTER.

QUELQUES MOIS PLUS TARD, APRÈS AVOIR CONNU DU SUCCÈS AVEC UNE AUTRE ÉQUIPE, CE MÊME ENTRAÎNEUR M'A INVITÉ À ME JOINDRE À L'ÉQUIPE, ET CETTE FOIS-CI, COMME POUR SE FAIRE PARDONNER, IL ME DONNAIT PLUS DE TEMPS DE GLACE QU'À TOUS LES AUTRES JOUEURS.

JE LUI AI EXPLIQUÉ QUE MON SPORT À MOI, C'ÉTAIT LE HOCKEY. «CHAQUE FOIS QUE JE JOUE AU HOCKEY, JE PARTAGE MA PASSION AVEC MES COÉQUIPIERS. QUE CE SOIT AVANT OU APRÈS LE MATCH, QUAND ON JOUE AU

HOCKEY, ON EST ENSEMBLE ET ON FORME UNE FAMILLE. ET QUAND JE SUIS SUR LA GLACE, C'EST ENCORE PLUS FORT : JE SAIS QUE JE SUIS À MA PLACE. »

AUJOURD'HUI, JE JOUE AU HOCKEY TROIS FOIS PAR SEMAINE, ET MALGRÉ PLUSIEURS BLESSURES SUBIES, JE NE PEUX PAS IMAGINER LE JOUR OÙ J'ARRÊTERAI DE JOUER AU HOCKEY.

IL EN VA DE MÊME POUR VINCENT, MON FILS, QUI À 16 ANS, A DÉCIDÉ DE QUITTER LA MAISON POUR JOUER À DENVER AU COLORADO, DANS UNE LIGUE RÉSERVÉE À L'ÉLITE. MÊME SI J'AVAIS LE CŒUR BRISÉ DE LE VOIR PARTIR, JE NE POUVAIS PAS L'EN EMPÊCHER, PUISQUE JE SAVAIS CE QU'IL RESSENTAIT POUR LE HOCKEY ; C'ÉTAIT MA PASSION ÉGALEMENT.

LORSQUE J'ÉTAIS PETIT, MA MÈRE ME DISAIT TOUJOURS : « T'ES BEAU, T'ES BON, T'ES GRAND, T'ES FORT ! » ALORS J'AI TOUJOURS PENSÉ QUE JE MESURAIS 6 PIEDS ET 3 POUCES (1,90 M) ; C'EST LA MÊME CHOSE POUR MON FILS.

VINCENT EST UN JOUEUR DE PETITE TAILLE. TOUT COMME MOI, IL A REJETÉ CES FAUSSES CONVICTIONS ET S'EST CONVAINCU QU'IL POUVAIT JOUER DANS DES ÉQUIPES DE HAUT NIVEAU ET IL Y EST PARVENU.

TOUTEFOIS, IL SAVAIT AUSSI QUE POUR VIVRE SA PASSION, IL DEVAIT FAIRE UN AUTRE PAS QUI L'ÉLOIGNERAIT PHYSIQUEMENT DE SA FAMILLE ET DE SA MAISON. MON FILS DEVAIT DONC ASSUMER SON CHOIX, ACCEPTER SA DOSE DE SOUFFRANCE, EN PARTANT LOIN DE NOUS ET DE SES AMIS, SANS MÊME CONNAÎTRE LA LANGUE DE SHAKESPEARE. JE DOIS VOUS AVOUER QUE JE N'ÉTAIS PAS PERSUADÉ QU'IL FAISAIT LE BON CHOIX. MÊME SI CELA A ÉTÉ DIFFICILE, IL A EU RAISON. IL EST MAINTENANT UN JEUNE HOMME ÉQUILIBRÉ, SAIN ET BIEN AVISÉ. INUTILE DE VOUS DIRE QUE J'EN SUIS TRÈS FIER.

CARL JUNG FUT LE PREMIER À PARLER D'INTRO-
VERSION ET D'EXTRAVERSION. IL EST CERTAIN QUE, POUR
UN EXTRAVERTI COMME MON FILS VINCENT, LE HOCKEY
ÉTAIT BEAUCOUP PLUS NATUREL QUE N'IMPORTE QUEL
AUTRE SPORT. POUR LUI, JOUER AU HOCKEY, C'EST ÊTRE
EN ACCORD AVEC SA PERSONNALITÉ. JE SAVAIS AUSSI QUE
JOUER AU HOCKEY ÉTAIT LIÉ À SA PASSION, MAIS
DAVANTAGE À SA PERSONNALITÉ.

QUELQUES ANNÉES PLUS TARD, IL S'EST RETROUVÉ
DEVANT UN DILEMME : CHOISIR L'ÉQUIPE POUR LAQUELLE
IL VOUDRAIT ÉVOLUER L'ANNÉE SUIVANTE. QUAND JE LUI
AI DEMANDÉ QUEL ÉTAIT SON CHOIX, IL M'A RÉPONDU PAR
UN MESSAGE TEXTE ÉCRIT EN LATIN : « *MILLE VIAE DUCUNT
HOMINES PER SAECULA ROMAM QUI DOMINUM TOTO
QUAERERE CORDE VOULUUT.* »

JE LUI AI TÉLÉPHONÉ IMMÉDIATEMENT ET JE LUI AI
DEMANDÉ DE ME TRADUIRE EN FRANÇAIS CE QU'IL M'AVAIT
ÉCRIT. IL M'A DIT : « *MILLE ROUTES CONDUISENT DEPUIS
DES SIÈCLES À ROME LES HOMMES QUI DÉSIRENT
RECHERCHER LE SEIGNEUR DE TOUT LEUR CŒUR.*
J'ÉTABLIS ICI, A-T-IL CONTINUÉ, UNE RELATION ENTRE
ROME ET LA LNH, ENTRE LE DÉSIR DE CHERCHER LE
SEIGNEUR ET CELUI D'ALLER AU BOUT DE SES RÊVES ! »

TOUT CECI POUR VOUS DIRE QUE DE VIVRE EN
HARMONIE AVEC SA PASSION PERMET DE TROUVER, À
L'INTÉRIEUR DE SOI (MOTIVATION INTRINSÈQUE), LA FORCE
D'ALLER PLUS LOIN ET DE SE DÉPASSER.

VOTRE CERVEAU CONTRÔLE VOS ACTIONS ET VOS RÉACTIONS

Il est facile de se trouver des excuses en pensant qu'il est impossible de changer ce qu'on nous dit être notre réalité. En agissant ainsi, nous programmons notre inconscient et notre système nerveux de façon qu'ils nous fournissent les réponses que nous attendons par rapport aux différentes situations de la vie, et nous réagissons donc en conséquence. Or, si les données de base sont fausses, nous réagissons en fonction de notre conditionnement sans remettre en question les prémisses. Nous créons donc notre façon de penser. Par conséquent, nous seuls pouvons en modifier le fonctionnement. Voilà pourquoi je dis que c'est dans la tête !

Nous programmons notre cerveau d'abord par notre monologue intérieur. Si vous acceptez de vous dire des faussetés, le subconscient les prendra pour des vérités. Il croit tout ce qu'on lui dit, comme un petit enfant. Imaginons que vous vous disiez que ça ne sert à rien de continuer à essayer, car vous êtes incapable de patiner « à reculons ». Inutile donc de persévérer pour devenir un défenseur. Et ce, malgré toutes vos autres capacités comme joueur défensif. Peu importe d'où proviennent ces informations qui vous font croire que vous êtes un mauvais patineur, si vous les croyez et n'agissez pas pour les corriger, et si vous en faites part à votre subconscient, elles deviendront vraies à vos yeux.

Croyez-vous qu'il soit correct de mentir à un enfant ? Non. Il faut donc parler à notre subconscient comme on parlerait à un jeune, c'est-à-dire de façon juste et honnête. Finalement, il faut être très prudent à propos de ce qu'on accepte comme une vérité. Encore une fois, si je reprends mon exemple où j'ai cru que j'étais trop petit, j'ai accepté cette fausse croyance. Pourtant, il y a des joueurs qui ont atteint la Ligue nationale et qui ne sont ni grands ni très lourds.

Alors est-ce que cette croyance était vraie? Non! Il aurait fallu que je la rejette. Même chose pour ce joueur qui croit qu'il patine mal. Est-ce une vérité éternelle? Y a-t-il moyen d'améliorer cette facette de son jeu? Il faut croire qu'on en est capable, qu'on peut le faire et s'améliorer! Il faut être passionné pour devenir acharné et tenace afin de trouver un véritable sens à sa vie.

Une croyance doit être vraie et juste. Si elle est fausse, il faut la rejeter et s'en départir pour faire place à celles que l'on choisit de façon consciente, afin qu'elles soient en harmonie avec ce que l'on désire profondément. C'est la seule façon d'atteindre nos buts.

Par ailleurs, il se peut que vous échouiez malgré toute votre bonne volonté. Il est possible que Vincent ne fasse jamais partie d'une ligue professionnelle ou de la LNH. Cependant, il y a fort à parier, qu'à travers le processus, ces jeunes soient devenus meilleurs et même peut-être de meilleures personnes, plus persévérantes, plus aptes à affronter plus tard le monde du travail.

Tentez le coup. Si vous corrigez certaines de vos certitudes, si vous travaillez fort et n'atteignez pas vos buts, vous aurez quand même grandi et acquis une maturité nouvelle. Cela fera de vous une personne plus apte à relever les défis de la vie. Que l'on gagne ou perde, on est forcément gagnant à tout coup, car on en apprend souvent davantage dans la défaite. Par conséquent, il s'agit d'être à l'écoute de ce qui nous arrive et d'être en mesure d'accumuler des connaissances, un bagage essentiel sur la route de la vie parsemée d'embûches.

Les entraîneurs et les parents doivent aussi être conscients de toutes ces faussetés auxquelles les jeunes peuvent croire, et surtout être vigilants quand ils s'adressent à leurs joueurs ou à leurs enfants. Un commentaire peut parfois être lourd de conséquences. Il faut dire les choses, mais la façon de le faire est très importante. Ce ne sont pas seulement les mots qui comptent, les gestes et l'attitude peuvent aussi avoir des répercussions démesurées.

Un entraîneur qui fait revenir un de ses jeunes sur le banc après une erreur, en levant les yeux comme pour dire *mais qu'est-ce que j'ai fait au ciel pour avoir un aussi mauvais joueur?* peut laisser chez ce joueur des traces profondément négatives. Il faut faire en sorte que le joueur comprenne que ses commentaires sont liés à un geste accompli par erreur, et non pas à ce qu'il est lui-même, fondamentalement. L'entraîneur doit avant tout le soutenir et l'encourager, étant donné que le développement et l'épanouissement du joueur en découlent. Il faut entretenir la passion, faire comprendre aux jeunes d'investir la ténacité et l'acharnement nécessaires pour arriver à leurs buts. Ils doivent trouver le véritable sens vers lequel se diriger. À vrai dire, ils doivent savoir où ils vont.

2

Notre relation avec le temps

« Rester toi-même dans un monde
qui tente constamment de te changer
est le plus grand accomplissement. »

– RALPH WALDO EMERSON

Peu importent les événements de notre vie, on y trouve toujours les trois aspects suivants: le temps, l'environnement et nous-même.

Le temps représente la vie. La vie n'existe pas sans cette réalité qu'est le temps, car sans elle, il n'y aurait qu'infini, sans forme et sans mouvement.

L'atmosphère et le lieu sont ce qui caractérise l'environnement qui nous entoure. Tant que nous sommes vivants, il existe autour de nous un lieu où prennent place des gens et des événements avec lesquels nous devons interagir. Nous pouvons influer sur eux tout comme eux sur nous. Enfin, il y a nous-même (l'être), le soi intérieur avec qui nous interagissons et dont nous devons tenir compte.

Gardez en tête que la vie est simple, mais que nous avons trop souvent tendance à la compliquer. Nous ne prenons pas assez le temps de nous arrêter pour nous questionner sur ce qui peut rendre les autres heureux en ce qui a trait à l'atmosphère et l'environnement, et de vérifier si nous respectons nos valeurs, nos principes et nos croyances qui représentent «le soi», en vue de les harmoniser avec notre vie.

Quand un problème survient dans votre vie, vous pouvez en trouver la solution en vous posant les questions suivantes: *Pourquoi suis-je insatisfait (ou satisfait) de la tournure de cet événement? Est-ce lié au temps? À l'environnement? Ou encore à moi-même?*

Ces questions peuvent être complétées par d'autres comme celles-ci: *Est-ce que je me suis laissé influencer? Ai-je tenu compte ou non de mes propres valeurs? Ai-je oublié mes propres aspirations ou mes objectifs? Comment faire pour rétablir un climat captivant pour les autres et pour moi par rapport à cette situation?*

«Être conscient de l'instant présent aide à établir
le contact avec soi, à prendre conscience de ses peurs
et conflits, mais surtout, de ses ressources et de sa capacité
à être en paix, l'esprit paisible, et distant de la souffrance.»
– ASSOCIATION POUR LE DÉVELOPPEMENT
DE LA MINDFULNESS (ADM)

Quand vous faites face à un problème, peu importe où vous êtes, vous pouvez y trouver la solution en vous questionnant. Par exemple, vous avez connu une mauvaise partie, vous pouvez vous demander : *Est-ce à cause de facteurs liés directement à moi, à ma personnalité ? Est-ce que je manque de confiance en moi aujourd'hui ? Si oui, pourquoi ? Sinon, est-ce une question de temps ? La raison en est-elle que je ne pratique pas assez souvent tel ou tel exercice ? Que je ne consacre pas assez de temps à mon entraînement ?*

Est-ce lié au fait que la partie a eu lieu en après-midi et que j'ai de la difficulté organiser mon horaire ? Est-ce que pour une raison quelconque je ne me sens pas bien aujourd'hui sur la glace, alors que dans le domaine des loisirs, tout va comme sur des roulettes ? Ces types de questions vous aideront à clarifier maintes situations et surtout à vous connaître davantage.

« Il y a pire que moi, il y a mieux que moi,
mais il n'y en a pas deux comme moi ! »

– AUTEUR INCONNU

★

« Notre pire ennemi ne nous quitte jamais,
car c'est nous-même. »

– PROVERBE ESPAGNOL

En prenant conscience de ce que nous sommes, nous pouvons nous découvrir dans toute notre profondeur. Il faut arriver à déceler le processus complet de toutes les données qui nourrissent notre pensée. C'est ainsi qu'il est possible de vraiment s'améliorer.

VOUS ÊTES JEUNE ET VOUS CROYEZ QUE VOTRE CARRIÈRE VA CONTINUER TOUTE VOTRE VIE. C'EST FAUX ! LA CARRIÈRE DE TOUS LES JOUEURS DE HOCKEY S'ARRÊTE UN JOUR ET, COMME TOUT LE MONDE, VOUS DEVREZ ALORS PRENDRE VOTRE RETRAITE. LE PROBLÈME AVEC LE HOCKEY, C'EST QUE SOUVENT LES JOUEURS PRENNENT LEUR RETRAITE À UN ÂGE AUQUEL LA PLUPART D'ENTRE NOUS COMMENCENT À PEINE À FAIRE DES PLANS D'AVENIR.

POUR LES HOCKEYEURS, C'EST UNE PARTIE DE LEUR VIE QUI SE TERMINE. LORSQU'ON VOUS A TOUJOURS IDENTIFIÉ COMME UN JOUEUR DE HOCKEY, C'EST SOUVENT LA SEULE CHOSE QUE VOUS CONNAISSEZ ET QUE VOUS AYEZ FAITE DANS VOTRE VIE. CE N'EST PAS SEULEMENT UN TRAVAIL, C'EST UNE PART DE VOUS-MÊME. LE TEMPS DE LA RETRAITE EST TRÈS DIFFICILE ET SOUVENT TRÈS DÉSTABILISANT. IL FAUT DONC BIEN S'Y PRÉPARER POUR ÉVITER DE SE RETROUVER DEVANT LE VIDE. MÊME SI LES JOUEURS DE HOCKEY PROFESSIONNELS ONT SOUVENT FAIT D'ASSEZ BONS SALAIRES POUR VIVRE SANS TRAVAILLER JUSQU'À LA FIN DE LEURS JOURS, LE RYTHME DE VIE AUQUEL ILS SONT HABITUÉS CHANGE TELLEMENT SOUDAINEMENT QU'ILS ONT DE LA DIFFICULTÉ À S'Y ACCLIMATER.

UN DE MES AMIS, MARTIN LATULIPPE, EST UN ANCIEN JOUEUR DE HOCKEY. IL Y A QUELQUES ANNÉES, IL ÉTAIT CAPITAINE DES AIGLES BLEUS DE L'UNIVERSITÉ DE MONCTON. IL EN ÉTAIT MÊME LE CAPITAINE QUAND CETTE ÉQUIPE S'EST PRÉSENTÉE À UNE COMPÉTITION INTERNATIONALE QUI SE TENAIT EN POLOGNE. SON MONDE S'EST ALORS ÉCROULÉ QUAND IL A REÇU UN COUP DE

PATIN À LA GORGE. MARTIN A FRÔLÉ LA MORT. IL S'EN EST
FALLU DE QUELQUES MILLIMÈTRES. UNE DES
CONSÉQUENCES DE CE GRAVE ACCIDENT A ÉTÉ LA FIN
DE SA CARRIÈRE DE HOCKEYEUR.

IL AURAIT PU NE PAS RÉAGIR ET ATTENDRE DE VOIR
COMMENT LES ÉVÉNEMENTS ALLAIENT SE DÉROULER. IL
AURAIT PU SE DIRE QUE LE SORT ÉTAIT CONTRE LUI ET
QU'IL NE POUVAIT RIEN Y FAIRE. IL A PLUTÔT DÉCIDÉ DE
PROVOQUER LES ÉVÉNEMENTS. IL A CHOISI D'UTILISER SON
EXPÉRIENCE ET D'EN FAIRE PROFITER LES AUTRES. SANS
UN SOU EN POCHE, SANS CONTACT DANS LE MONDE DES
AFFAIRES, IL A BÂTI SON RÊVE DE DEVENIR CONFÉRENCIER
À SA SORTIE DE L'UNIVERSITÉ. ET IL A RÉUSSI. IL EST
AUJOURD'HUI L'UN DES CONFÉRENCIERS EXPERTS LES
PLUS ÉLECTRISANTS DE SA GÉNÉRATION ET IL TRAVAILLE
PARTOUT DANS LE MONDE. VOILÀ CE QUE C'EST QUE DE
PROVOQUER LES CHOSES. ON NE PEUT RÉUSSIR QUE SI ON
OSE. COMME L'AFFIRMAIT WAYNE GRETZKY : « ON RATE
TOUS LES COUPS QUE L'ON NE TENTE JAMAIS. »

●

L'HIVER DERNIER, J'AI FAIT L'ÉMISSION *L'ENTRACTE*
À RDS, OÙ J'AI EU LA CHANCE DE RENCONTRER LES
MEILLEURS JOUEURS DE LA LNH DANS 10 VILLES
DIFFÉRENTES D'AMÉRIQUE, DONT UNE ENTREVUE TRÈS
MARQUANTE POUR MOI, CELLE AVEC THEOREN FLEURY,
MON IDOLE D'ENFANCE. IL ÉTAIT MON PRÉFÉRÉ, CAR NOUS
ÉTIONS DU MÊME STYLE : DEUX JOUEURS RAPIDES DE PETIT
GABARIT ET INTENSES DANS NOTRE JEU. IL M'A RACONTÉ
L'HISTOIRE DE SA VIE.

IL M'A EXPLIQUÉ QUE LES SÉVICES SEXUELS DONT
IL AVAIT ÉTÉ VICTIME LUI FAISAIENT TELLEMENT MAL QU'IL
VOULAIT EN MOURIR. IL TROUVAIT CELA SI DIFFICILE QU'IL
S'EST MIS À CONSOMMER. « LES VOLEURS D'ENFANCE
LAISSENT BEAUCOUP DE DOMMAGES IRRÉPARABLES. CELA
BRISE QUELQU'UN. » LE DOCUMENTAIRE *LES VOLEURS*

D'ENFANCE DE PAUL ARCAND L'EXPRIME TELLEMENT BIEN !

LORSQUE J'ÉTAIS EN ENTREVUE AVEC THEOREN, IL M'A DIT QUELQUE CHOSE QUI M'A VRAIMENT MARQUÉ. IL A DIT : «TOUT LE MONDE CROYAIT QUE J'ÉTAIS HEUREUX, TANDIS QUE MOI, À L'INTÉRIEUR, J'ÉTAIS TELLEMENT MALHEUREUX. TOUT LE MONDE PENSAIT QUE C'ÉTAIT LA BELLE VIE D'ÊTRE UN JOUEUR DE HOCKEY, ET MOI J'EN SOUFFRAIS TELLEMENT. J'AVAIS TOUJOURS ENTENDU DIRE QUE DIEU NOUS DONNAIT SEULEMENT DES EXPÉRIENCES DE VIE EN FONCTION DE CE QU'ON ÉTAIT CAPABLE D'ENDURER. JE ME SUIS RETROUVÉ SEUL DANS MA SALLE DE BAIN, J'AI DIT EN TOMBANT À GENOUX : *"PLEASE, GOD, HELP ME, I CANNOT TAKE THIS NO MORE !* (S'IL TE PLAÎT, DIEU, AIDE-MOI, JE NE SUIS PLUS CAPABLE D'EN PRENDRE !)" À CE MOMENT-LÀ, J'AI SENTI QUE JE POUVAIS ME RELEVER. DÈS CET INSTANT, LES CHOSES ONT COMMENCÉ À CHANGER. J'AI RESSENTI UNE IMMENSE PAIX INTÉRIEURE. »

IL A DÉCIDÉ DE LÂCHER PRISE ET DE SE PRENDRE EN MAIN. ET LA SEULE FAÇON POUR LUI DE CHANGER ÉTAIT D'AIDER D'AUTRES PERSONNES. IL S'EST RENDU COMPTE QU'EN FAISANT DES CONFÉRENCES, EN VOYAGEANT, EN PARLANT DE SON HISTOIRE, ET EN SOUTENANT D'AUTRES GENS, IL POUVAIT RESTER SOBRE ET EN VIE. IL A COMPRIS LA VALEUR DU PARTAGE ET DU DON DE SOI DANS LE BUT DE S'AIDER SOI-MÊME. IL A COMPRIS QU'IL FALLAIT VIVRE DANS LE PRÉSENT, UN MOMENT À LA FOIS, POUR S'ASSURER D'AVOIR UN AVENIR.

Ce questionnement vous aidera à développer une attitude gagnante, à bien connaître et à accepter votre propre identité. Il faut qu'il y ait une harmonie entre ce que vous êtes et ce que vous pensez être. Entre l'image et la réalité. Votre identité correspond à ce que vous pensez être et à ce que vous ressentez, et pour une plus petite part, vous êtes aussi ce que les autres perçoivent de vous, c'est-à-dire leur façon de vous considérer. Il est important d'être ce que vous voulez être sans que cela soit dicté par les autres. Il faut aussi tenir compte de cette réalité et savoir accepter la perception des autres. Nous devons reconnaître aussi que notre identité évolue avec le temps et nos expériences de vie.

J'AI PLUSIEURS AMIS QUI SONT ARBITRES OU JUGES DE LIGNE DANS LE MIDGET, DANS LE JUNIOR ET DANS LA LNH. JE ME SOUVIENS QUE L'UN DE CES ARBITRES M'AVAIT TÉLÉPHONÉ POUR ME CONSULTER, AFIN DE L'AIDER À COMPRENDRE POURQUOI LES GENS LE PERCEVAIENT DIFFÉREMMENT DE CE QU'IL ÉTAIT VRAIMENT. IL EST IMPORTANT DE SE RENDRE COMPTE DE L'IMAGE QUE L'ON PROJETTE. EST-CE QUE CETTE DERNIÈRE EST EN ACCORD AVEC L'IMAGE QUE L'ON A DE SOI ET AVEC QUI L'ON EST? TOUT VA BIEN, ON GRAVIT LES ÉCHELONS, MAIS ON S'APERÇOIT SOUDAIN QUE LES GENS NOUS VOIENT DIFFÉREMMENT DE NOTRE PROPRE PERCEPTION DE NOUS-MÊME.

IL VOULAIT COMPRENDRE CE PHÉNOMÈNE LORSQU'IL ÉTAIT ÉVALUÉ PAR SES SUPÉRIEURS. ON LUI MENTIONNAIT QUE LES GENS LE TROUVAIENT TRÈS SÉVÈRE ET ARROGANT. IL RÉPONDAIT QU'IL NE SE SENTAIT PAS ARROGANT ET QU'IL AVAIT DU RESPECT POUR LES GENS. À SES YEUX, CE N'ÉTAIT PAS DE L'ARROGANCE, MAIS DE LA CONFIANCE. COMMENT DONC POUVAIT-IL CHANGER CELA?

NOUS AVONS AINSI TRAVAILLÉ ENSEMBLE POUR SAVOIR COMMENT IL SE VOYAIT LUI-MÊME. FAIRE PREMIÈREMENT DE L'INTROSPECTION. JE LUI AI ENSUITE DEMANDÉ DE ME DIRE COMMENT IL CROYAIT QUE LES AUTRES LE PERCEVAIENT. À CE MOMENT PRÉCIS, NOUS FAISIONS DE LA RÉTROSPECTION SUR LES ÉVÉNEMENTS

QUI L'ONT AMENÉ À CROIRE QUE LES GENS LE TROUVAIENT ARROGANT. PUIS, JE LUI AI DEMANDÉ : « POURQUOI CROIS-TU QUE LES GENS TE VOIENT DE CETTE FAÇON ? » IL A ALORS COMPRIS QU'IL LUI FALLAIT ÊTRE EN ACCORD AVEC CE QU'IL PROJETTE. SANS QUOI, NOUS VIVONS DES CONFLITS INTÉRIEURS QUI PEUVENT ENGENDRER DES CONFLITS EXTÉRIEURS. EN PRENANT CONSCIENCE DE CE QUI SE PASSE ET EN MODIFIANT LES CHOSES, CELA NOUS PERMET DE DEVENIR PLUS AUTHENTIQUES.

LORSQUE J'AI ÉCRIT CE LIVRE, JE VOULAIS AUSSI QU'IL S'ADRESSE AUX ARBITRES. J'AI DONC DEMANDÉ À MON AMI STÉPHANE AUGER S'IL AVAIT QUELQUES CONSEILS.

LORS DE MON ENTREVUE AVEC STÉPHANE NOUS AVONS REMONTÉ DANS LE TEMPS JUSQU'AU DÉBUT DE SA CARRIÈRE. IL A D'ABORD FAIT L'ÉCOLE D'ARBITRE. IL PRATIQUAIT DÉJÀ SON MÉTIER À 16 ANS ET IL A ÉTÉ REPÉRÉ PAR BRIAN LEWIS, QUI AIMAIT SON COUP DE PATIN. IL A COMMENCÉ PROMPTEMENT, MAIS ÉTAPE PAR ÉTAPE, AVEC LES NOVICES JUSQU'AU NIVEAU PROVINCIAL, DANS LES PARTIES À 5 H TOUS LES MATINS. IL A ÉVOLUÉ RAPIDEMENT DANS LE MONDE DE L'ARBITRAGE, CAR IL AVAIT BEAUCOUP DE TALENT, ET IL FAISAIT PREUVE DE TANT DE PASSION.

IL A VÉCU DE L'ABUS VERBAL : « J'ÉTAIS TELLEMENT PASSIONNÉ QUE JE PASSAIS PAR-DESSUS, MALHEUREU-SEMENT COMME BEAUCOUP D'ARBITRES », A-T-IL DIT. MAINTENANT, IL EXISTE DES SÉMINAIRES POUR CONTRER L'ABUS VERBAL, CAR L'ORGANISATION PERDAIT UN ARBITRE SUR DEUX. IL AJOUTE QU'IL NE FAUT RIEN TOLÉRER, ET NE RIEN PRENDRE COMME UNE ATTAQUE PERSONNELLE. « C'EST AUX ADULTES DE METTRE FIN À CELA. CAR SI QUELQU'UN CRIE OU INSULTE, CE N'EST PAS CONTRE TOI, MAIS CONTRE LE CHANDAIL. IL FAUT SE FAIRE UNE CARAPACE. MAIS ÉTANT DONNÉ QUE C'EST DIFFICILE ET QUE PLUSIEURS ÉPROUVENT DAVANTAGE DE DIFFICULTÉS, IL FAUT DEMANDER DE L'AIDE. »

SES CONSEILS: POSER DES QUESTIONS; L'ARBITRAGE S'APPREND SUR LA GLACE EN LE VIVANT ET EN LE VOYANT, C'EST-À-DIRE PAR L'EXPÉRIENCE. QUAND ON FAIT DES ERREURS, ON PEUT ALORS SOLLICITER NOTRE MÉMOIRE ET SE RENDRE COMPTE DE CE QUE L'ON N'A PAS BIEN GÉRÉ. POUR UN ADULTE, IL EST PLUS FACILE DE GÉRER L'ABUS DE POUVOIR D'UN AUTRE ADULTE, MAIS POUR LE JEUNE DE 16 ANS, C'EST PLUS DIFFICILE. CELA S'APPREND AVEC LES ERREURS QUE L'ON FAIT, MAIS AUSSI AVEC LA SUPERVISION DES GENS QUI NOUS ENTOURENT.

LA PREMIÈRE RÉACTION DU JEUNE EST SOUVENT DE NIER CE QUI S'EST PASSÉ; CE QUI EST TOUT À FAIT NORMAL. CELA EST IMPOSSIBLE DANS LA LIGUE NATIONALE, CAR TOUT EST FILMÉ. MAIS IL FAUT QUE LES JEUNES APPRENNENT À ÊTRE CAPABLES D'AVOUER LEURS FAUTES, POUR RÉCOLTER DE MEILLEURS CONSEILS, LA FOIS SUIVANTE. EN FIN DE COMPTE, LE JEUNE DOIT ABSOLUMENT ÉCOUTER LES CONSEILS DES ADULTES.

J'AI DEMANDÉ À STÉPHANE: «SI TU AVAIS UN CONSEIL À DONNER AUX ARBITRES POUR RÉALISER LEUR RÊVE, QUE LEUR DIRAIS-TU?

— DE NE JAMAIS REFUSER UNE PARTIE, D'ARBITRER AUTANT QUE POSSIBLE. ET DE SE PRÉPARER À ENVISAGER UN AUTRE MÉTIER, CAR IL Y A PEU D'ÉLUS, SURTOUT COMME ARBITRE. IL FAUT ÉGALEMENT TRAVAILLER DUR TOUT AUSSI PHYSIQUEMENT QUE PSYCHOLOGIQUEMENT. NE PAS AVOIR PEUR DE POSER DES QUESTIONS AFIN DE SAVOIR COMMENT ET SUR QUOI TRAVAILLER POUR S'AMÉLIORER.»

POUR DONNER SUITE AUX PROPOS DE STÉPHANE, JE ME SOUVIENS TRÈS BIEN QUAND J'ÉTAIS JEUNE, DE L'UN DE MES MEILLEURS AMIS, JEAN MORIN, QUI ÉTAIT JUGE DE LIGNE ET QUI AVAIT SON BAC EN ÉDUCATION PHYSIQUE. IL NE REFUSAIT JAMAIS UN MATCH. TRÈS

SOUVENT, JE LE VOYAIS PARTIR AVEC SON ÉQUIPEMENT POUR ALLER ARBITRER DES MATCHS DANS LA LIGUE DE HOCKEY JUNIOR MAJEUR DU QUÉBEC, APRÈS AVOIR TRAVAILLÉ DES JOURNÉES COMPLÈTES. IL ÉTAIT TELLEMENT PASSIONNÉ PAR CE TRAVAIL, IL CHERCHAIT À S'AMÉLIORER CONSTAMMENT. JEAN EST MAINTENANT JUGE DE LIGNE DANS LA LNH, DEPUIS DÉJÀ PLUSIEURS ANNÉES. ET POUR PARVENIR À SON RÊVE, IL N'A PAS EU PEUR DE TRAVAILLER ET DE DEMANDER CONSEIL À D'AUTRES AFIN DE S'AMÉLIORER.

Qu'on le veuille ou non, notre vie n'est faite que du temps qu'on nous prête. On naît à une date et on meurt à une autre. Tout ce qu'on a, c'est le temps entre les deux. On ne peut pas accélérer le temps ni le ralentir. Si je passe du temps avec des gens que j'aime, c'est une question de perception, car le temps c'est la vie.

Toute notre vie, on doit faire des choix : alors les questions essentielles deviennent : « Qu'est-ce que je fais de mon temps ? » et « Qu'est-ce que je fais de ma vie ? » Je dois gérer et décider de l'endroit où je vais, et avec qui je veux y aller. De plus, étant donné que tu vis avec toi-même pendant toute ta vie, alors il vaut mieux que tu t'aimes ; deviens donc ton meilleur ami.

L'ESTIME DE SOI, C'EST LA VALEUR QU'ON S'ATTRIBUE

L'estime provient d'abord de nos parents. Si nos parents nous disent : « Vas-y, tu es capable ! », nous allons avoir confiance en nous. C'est ainsi que notre estime de soi se construit. Mais si nos parents nous disent : « Tu ne seras pas capable de réussir », notre estime va demeurer très faible. Il faut donc rechercher ceux et celles qui croient en nous, en nos capacités et en nos projets.

L'estime de soi est ensuite alimentée par les autres personnes avec lesquelles nous sommes en relation. Ce sont souvent des personnes qui sont en position d'autorité. Les entraîneurs en sont un bon exemple. Comme joueur, on voit souvent l'entraîneur comme un mentor. On a confiance en lui. Il doit donc nous encourager et nous redonner une image positive de nous-même. L'entraîneur se veut le reflet de toute l'organisation de l'équipe et de la ligue.

Par son attitude, un entraîneur peut avoir une influence profonde sur les jeunes. Vous vous souviendrez longtemps de ce regard vers le ciel après une mauvaise présence sur la glace. Par contre, vous garderez aussi longtemps en mémoire ce sourire ou ce témoignage de confiance qu'il vous lance au beau milieu de l'action, à un moment crucial de la partie. L'attitude, les gestes et les paroles doivent contribuer à augmenter notre estime de soi.

Il faut aussi rêver pour réussir. J'ai travaillé longtemps avec des athlètes handicapés. Parmi tous ceux-là, j'en ai même connu un qui n'avait qu'un bras avec deux doigts, et qui a pourtant gagné une compétition internationale de course en fauteuil roulant. Au premier abord (et vous en conviendrez), il n'avait aucun avantage. Mais il avait confiance en lui et était doté d'une détermination inébranlable pour atteindre ses objectifs et ses rêves. Son handicap ne l'empêchait pas de posséder une très haute estime de lui-même et de ses possibilités.

Alors, c'est absolument vrai que tout le monde a une chance. Il faut savoir la saisir ! Tous les grands athlètes que j'ai aidés avaient un talent inné. Mais ce ne sont pas leurs dons qui en ont fait les meilleurs dans leur domaine. C'est leur capacité de rêver, cette estime et cette confiance extraordinaires en eux, cette aptitude à vivre pleinement le moment présent quel que soit l'endroit où ils se trouvent, et qui les pousse à se dépasser et à vouloir être les meilleurs. Tout se passe dans leur tête. Tous ces gens ont une estime d'eux-mêmes élevée qu'ils ont réussi à bâtir, au fil des ans, en croyant en leurs possibilités et en écoutant ceux qui les encourageaient.

Demandez à chacun des champions, dans n'importe quel sport, qui est le meilleur du monde dans son domaine. Tous vont vous répondre que tel ou tel autre athlète possède des qualités incroyables et, publiquement, ils vanteront les mérites de ces adversaires qui les obligent à se dépasser. Mais dans leur tête, ils se disent : *c'est moi le meilleur.* Il n'y a rien de mal à cela. Ils doivent, s'ils veulent gagner, se dire qu'ils sont supérieurs et avoir une confiance extrême en leurs capacités, même s'ils ne le disent pas nécessairement à haute voix. Il serait intéressant d'entendre leur voix intérieure. On se rendrait compte qu'ils se font confiance, ce qui n'a rien à voir avec de l'arrogance.

Est-ce que l'on doit se comparer ? Bien sûr que oui ! C'est ça la vie, se comparer constamment. Toute la vie est une vaste compétition. Lorsqu'on est à l'école, qu'on postule un emploi ou qu'on veut être reconnu pour ce que l'on fait, on est en compétition. Qu'on le veuille ou non. La compétition, c'est un peu comme le domaine de la scène : un artiste se prépare, répète et s'entraîne en prévision d'un spectacle.

Tout comme un chanteur s'exerce pour nous transmettre des émotions par la chanson, la compétition, c'est un véritable *show time*. Il faut être prêt et avoir confiance avant d'aller sur la glace, comme lorsqu'un artiste monte sur la scène. Vous devez montrer tous les efforts que vous avez investis lors de la préparation de votre spectacle.

« Si vous croyez que vous pouvez ou si vous croyez que vous ne pouvez pas, vous avez probablement raison », affirmait Henry Ford. Donc, c'est ce que vous croyez qui arrivera vraiment dans votre vie. Rien n'arrive sans que l'on y ait pensé d'avance. Si vous pensez que vous êtes capable de le faire, vous le serez, et si vous pensez que non, vous ne le serez pas.

Nous avons besoin d'être dotés d'une bonne estime de nous-mêmes. Ensuite, il faut de l'audace et, enfin, de la persévérance. Avec ces trois éléments, on peut entreprendre n'importe quoi. On met alors toutes les chances de son côté pour que ça fonctionne. Il faut croire en ses capacités, ne pas hésiter à plonger dans de nouveaux défis, et sortir de sa zone de confort. Il ne faut pas avoir peur. En fait, il ne faut avoir peur que de la peur elle-même. Certaines peurs font partie de la réussite, mais pas la peur de l'échec.

Non ! Nommez-moi quelqu'un qui a réussi, et je vous assure que cette personne a eu peur à un moment donné, sans que cela l'arrête pour autant. Chaque fois que j'ai eu des difficultés et que je pensais à abandonner, ma mère me disait toujours : « T'es beau, t'es grand, t'es fort et t'es capable ! » C'est ce que j'aimerais dire à mon tour aux gens qui lisent ce livre. N'ayez pas peur d'aller au bout de vos rêves. Ayez confiance en vous et en vos capacités. Vous pouvez réussir !

3

Le présent, l'avenir et les souvenirs

« Il est bien plus important de regarder
où l'on va, que de savoir d'où l'on vient. »

– CATHERINE PONDER

L e présent est la source du passé et de l'avenir. C'est la
seule partie du temps qui nous offre un accès direct,
concret et véritable qu'il nous est possible de partager
en ce moment avec les autres. Car le passé est ce qui a
été à un moment présent donné, et l'avenir, comme le
terme le laisse présager, est l'état, la situation que nous
espérons pouvoir vivre dans le temps à venir. Le passé
fait partie de nos souvenirs et l'avenir de nos espoirs en la
vie future, selon ce que nous nous représentons chacun
dans notre tête et à quoi nous seuls avons vraiment accès.
J'aime bien dire qu'hier n'existe plus et que demain
n'existera jamais, car lorsque demain sera là, nous serons
aujourd'hui. Chose certaine, si vous voulez connaître
le sort que l'avenir vous réserve, vous n'avez qu'à vous

pencher sur vos pensées de ce jour : elles sont la promesse de demain. La preuve encore que c'est dans la tête !

« Ton avenir est créé par ce que tu fais aujourd'hui, pas demain. »

– ROBERT T. KIYOSAKI

Mais il y a ceux qui vivent en anticipant l'avenir, comme si le présent était là à titre de « coup d'essai ». Ils vivent en pensant : *un jour, je serai enfin ceci ou cela et j'aurai enfin ceci ou cela.* Mais un jour, vous ne serez plus là et moi non plus ! Est-il nécessaire de répéter qu'il n'y a qu'une seule justice sur terre : nous mourrons tous ! Mais d'ici là, nous pouvons nous permettre de vivre… sans attendre.

Le premier pas à faire pour changer le cours de votre vie, c'est de vous débarrasser de l'idée négative qu'il est inutile d'agir ou que vous en êtes incapable. Si vous pensez que vous ne pouvez pas réussir parce que vous n'y êtes jamais parvenu, alors détrompez-vous ; votre passé n'a rien à voir avec ce que sera votre avenir. Le passé n'est pas garant de l'avenir ou du moins pas de façon automatique et continuelle, comme certains le croient.

En adoptant cette façon de voir la vie, en vous disant que c'est le moment présent qui compte, vous ne pouvez plus attribuer la faute au passé ou à une autre personne pour les résultats que vous obtenez. Vous êtes donc le seul responsable de votre avenir. Vous avez désormais la pleine maîtrise de votre vie.

Il est primordial de tirer des leçons de ce que le passé nous a enseigné pour ne pas répéter nos erreurs. Celui qui n'apprend pas de son passé est condamné à le revivre, jusqu'à ce qu'il en ait compris la leçon. Si on fait toujours la même chose, on obtient nécessairement toujours le même résultat. Mais si on modifie à la fois les situations et notre façon d'être et d'agir, cela en change l'issue. Et voilà peut-être la preuve que le passé ne cimente pas l'avenir, car on peut et on doit en tirer un enseignement profitable pour forger notre propre lendemain.

Ceux qui ont accumulé un grand nombre d'échecs croient qu'ils ne pourront jamais réussir à l'avenir. Et pourtant, si vous avez vécu une série d'échecs, mais sans jamais reproduire les mêmes, alors vous accumulez un bagage de connaissances sur tout ce qu'il ne faut pas faire pour échouer ; ce qui vous rapproche de la réussite. Par conséquent, il importe de retenir les leçons du passé, mais il faut éviter que ces expériences nous freinent dans notre élan vers l'avenir.

Si vous vivez dans le passé, il est temps pour vous de relever de nouveaux défis sans regarder en arrière. Ancrez-vous dans le présent et faites simplement ce que vous croyez le plus approprié à chaque moment. Le plaisir et la fierté d'avoir réussi vous donneront des ailes. Votre estime personnelle grandira et votre santé mentale et physique en bénéficiera par le fait même.

« La meilleure façon de prédire l'avenir, c'est de le créer. »
– PETER DRUCKER

✱

« Les petits moments d'aujourd'hui deviennent
de précieux souvenirs de demain. »

Mais que signifie concrètement d'être présent à
100 % à l'instant que nous vivons ?

J'ai constaté que notre pensée se fixe très rarement
sur le présent. En fait, la plupart des gens ont l'esprit
obnubilé par le passé ou par l'avenir. Lorsque nous avons
la tête remplie de soucis par rapport à ce qui arrivera
demain ou la semaine prochaine, nous ne pouvons pas
être totalement présents ici et maintenant à ce qui se
passe vraiment. Lorsque notre esprit est envahi par les
regrets de tel ou tel événement vécu hier ou la semaine
dernière, nous ne pouvons pas affirmer être pleinement
présents à ce qui se passe aujourd'hui, et vivre physiquement et psychologiquement ici et maintenant. Le seul
temps sur lequel nous ayons vraiment une emprise est le
moment présent.

En pratique, cela signifie qu'au moment où vous
jouez une partie, si vous vous mettez à penser à celle que
vous avez disputée hier, ou encore à cet incident à l'école
avec vos amis, vous n'êtes pas dans le présent. Si vous
pensez à la fin de la partie, à la prochaine que vous
jouerez, à ce que vous ferez ce soir, vous ne vivez pas non

plus le moment actuel. Votre esprit est accaparé par un tas d'autres choses et votre jeu risque de s'en ressentir.

Quand nous sommes 100 % présents à ce qui se passe, nous ne sommes pas déconcentrés par ce qui se déroule à l'extérieur ; voilà ce que les athlètes appellent « la zone ».

Selon différents auteurs, cet état se caractérise de la façon suivante : une immersion complète dans l'activité qui nous isole du reste du monde. La concentration est alors optimale et reste focalisée sur l'action. Une sensation de contrôle, de perfection et d'efficacité maximale (seules les informations pertinentes sont traitées par le sportif).

Bien que cela évoque l'impression d'être en pilotage automatique, paradoxalement, c'est un traitement stratégique de l'information qui s'opère à cet instant-là. On retrouve aussi une fixation sur certains objectifs ou sur une récompense extérieure à l'activité, ce qui veut dire que le sportif ne focalise pas uniquement le résultat. La notion d'échec ou de réussite est ici absente. Tout a l'air aisé, comme une impression de facilité. L'athlète est détendu et décontracté, dans un état mental empreint de calme et de tranquillité. Les muscles sont relâchés et souples. On ressent aussi une impression de plaisir. Le plaisir est au centre de la préoccupation du sportif.

Le problème de la confiance ne se pose pas (selon Christian Target, formateur et auteur d'une méthode sur la préparation mentale). On vit des sensations positives et optimistes. On ressent une grande énergie. Tout est présent et concentré (selon Dr James Loehr, qui a mis au point un questionnaire psychologique, valide et fiable pour évaluer les habiletés mentales). L'athlète a la faculté d'associer l'action à la prise de conscience, sans effort (selon Janet Young, ex-joueuse de tennis australienne professionnelle).

Dans cet état de facilité, plus les individus sont concentrés sur la tâche à accomplir, plus leur cerveau se calme, c'est-à-dire que l'excitation corticale diminue (selon Daniel Goleman, psychologue américain, devenu célèbre pour son livre sur l'intelligence émotionnelle).

Bien entendu, pour l'atteindre et le maintenir, cet état exige des conditions particulières. Ainsi, les individus semblent mieux se concentrer lorsque la tâche est un peu plus exigeante afin d'éviter que l'ennui s'installe. Toutefois, si c'est trop difficile, ils deviennent anxieux. Il faut donc apprendre à chasser l'anxiété et à aimer la pression. Il faut canaliser ses émotions vers le but visé.

MON TÉLÉPHONE SONNE, C'EST UN GARDIEN DE BUT, UN JEUNE HOMME QUE J'AI VU GRANDIR, ÉTANT L'AMI DE SON PÈRE. CE SOIR-LÀ, IL ÉTAIT DANS LA LNH, MAIS IL DEVAIT REGAGNER LES LIGUES MINEURES ET IL ÉTAIT DÉVASTÉ DE RETOURNER VERS L'ÉQUIPE-ÉCOLE. JE POUVAIS PERCEVOIR LE DÉCOURAGEMENT DANS SA VOIX, UN MOMENT DIFFICILE À PASSER POUR LUI.

IL COMMENÇAIT À DOUTER DE SES CAPACITÉS, IL VOULAIT TELLEMENT DÉMONTRER TOUS SES TALENTS QU'IL EN FAISAIT TROP ET « SORTAIT » DE SON MATCH. NOUS AVONS DISCUTÉ AFIN DE LUI REDONNER CONFIANCE ET POUR QU'IL SE CONCENTRE SEULEMENT SUR CE QU'IL POUVAIT CONTRÔLER, SOIT D'ARRÊTER UNE RONDELLE À LA FOIS ET AINSI RETROUVER « SA ZONE », L'ESPACE OÙ IL

ÉTAIT BIEN. À QUOI BON RESTER CANTONNÉ SUR DES RONDELLES PASSÉES OU EN ATTENTE D'AUTRES À VENIR ? ON NE PEUT PRÉVOIR CE QUI VA ARRIVER, IL FAUT ÊTRE DANS LE MOMENT PRÉSENT.

CE JEUNE HOMME, C'EST MARC-ANDRÉ FLEURY, L'UN DES MEILLEURS GARDIENS DE BUT DE LA LIGUE NATIONALE ; IL EST REVENU À SA FONCTION PREMIÈRE QUI EST D'ARRÊTER LA RONDELLE. UNE À LA FOIS !

JE PEUX VOUS DIRE QUE LE CHEMIN VERS LA LNH N'A PAS TOUJOURS ÉTÉ FACILE POUR MARC-ANDRÉ. JEUNE, IL FUT RETRANCHÉ DE L'ÉQUIPE ÉLITE, ET POURTANT, CELA NE L'A JAMAIS EMPÊCHÉ DE CONTINUER DE S'AMUSER ET DE DEVENIR, À 18 ANS, LE MEILLEUR JOUEUR DE SON ÂGE ET D'ÊTRE REPÊCHÉ AU TOUT PREMIER RANG DU REPÊCHAGE DE LA LNH EN ROUTE VERS LA COUPE STANLEY.

Chaque sport, quelle que soit sa nature ou sa forme, exige d'atteindre un état émotionnel particulier et ciblé, soit dans la phase de préparation à la compétition ou pendant l'épreuve elle-même. Il est indispensable de trouver cet état qui vous permettra de vous brancher sur la réalisation de votre performance optimale.

Avant une partie, ou avant un événement important (un examen ou une rencontre pour un boulot), essayez de faire ce silence intérieur, de vous retrouver, d'écouter votre corps et non votre esprit. Vous trouverez alors une source de calme et d'énergie. Vous découvrirez que vous avez raison d'avoir confiance en vous. Quand l'action viendra, vous y serez à 100 %, et vous serez prêt !

4

Attention aux préjugés

«Tout le monde commet des erreurs.
Assure-toi de reconnaître les tiennes
avant de signaler celles des autres.»

Nous avons tous des préjugés, parfois positifs, c'est vrai, mais généralement négatifs. Il n'y a rien de vraiment rationnel dans un préjugé, il va souvent à l'encontre d'une étude objective de ce qui fait l'objet de ce préjugé. Imaginez quelqu'un plein de préjugés et qui met tout en doute. C'est le genre de personne à éviter, parce que rien ne sera jamais possible avec un tel individu.

Nous vivons dans un environnement où différentes personnes nous entourent avec lesquelles nous sommes en contact : parents, frères et sœurs, amis, enseignants, entraîneurs, etc. Il est donc presque impossible de faire abstraction de leur influence. Il faut donc savoir discerner ceux-là qui nous aident et nous encouragent de ceux qui nous diminuent et nous mettent des bâtons dans les roues.

Pensez un instant au jeune qui vit dans un quartier défavorisé. À neuf ans, il court déjà les rues, n'aime pas particulièrement l'école, et préfère errer avec d'autres jeunes qui ont des tendances délinquantes. Ses parents sont plus ou moins présents, ne s'occupent pas vraiment de lui et ne l'encadrent pas. Ce qui lui laisse toute la place pour faire ce qu'il veut, pour se laisser influencer, mais pas de la bonne façon. Bien entendu, pour faire comme les autres, ses «amis», il s'adonne à la drogue et il porte toujours un couteau sur lui, au cas où…

Avec ce genre d'histoire, je suis persuadé que vous n'avez pas beaucoup d'espoir qu'il s'en sorte et qu'il ait une vie pleine et constructive. Vous n'êtes pas les seuls. C'est aussi ce que pensent bien des gens qui l'entourent. À quoi ça sert de faire des efforts, il ne s'en sortira pas de toute façon ? C'est évident qu'il ne peut pas réussir !

Voilà l'opinion de la majorité des gens, car il existe des préjugés très puissants relatifs à des jeunes qui commencent ainsi leur vie. Des préjugés qui vont bien au-delà des statistiques et de la réalité. Par conséquent, si vous ajoutez à ces préjugés une bonne dose de mauvaise foi, vous serez convaincu que ce jeune n'a aucune chance. Son destin est tout tracé.

Mais en fait, son histoire est plus reluisante que nous l'avions prévu. Un jour, un individu a affirmé que l'échec n'était pas obligatoire dans la vie de ce jeune et qu'il méritait un meilleur sort. Alors, il lui a parlé de boxe et le jeune garçon a démontré de l'intérêt même s'il n'était aucunement sportif au début.

Quand on est dans la rue, le sport est souvent inaccessible. Il lui a trouvé un entraîneur qui l'a encouragé, qui lui a montré les rudiments de ce sport, mais qui lui a aussi parlé de l'énorme discipline personnelle nécessaire pour réussir dans ce domaine. Le jeune a répondu positivement étant donné qu'il aimait la boxe, l'entraînement et la discipline. Il est allé au gymnase tous les jours et il s'est mis à exceller, remportant même le championnat amateur du Canada à 3 reprises et ses 25 premiers combats professionnels.

Ce jeune s'appelle David Lemieux. Sans renier son passé, il sait aujourd'hui ce qu'il vaut, et il est la preuve que c'est possible de s'en sortir. Sa vie a changé lorsqu'il a cessé de croire aux préjugés et de penser que les autres avaient raison de dire qu'il n'avait aucun choix dans la vie.

ICI, J'AIMERAIS VOUS PARLER DES HOCKEYEURS DE PETIT GABARIT, COMME MARTIN SAINT-LOUIS, DAVID DESHARNAIS ET THEOREN FLEURY. CES JOUEURS ONT BESOIN D'UNE FORCE DE CARACTÈRE PLUS GRANDE, CAR ON NE LES SÉLECTIONNE PAS POUR LEUR PHYSIQUE. C'EST UN HANDICAP, MAIS EN CHERCHANT D'AUTRES FORCES COMME CELLES DU CARACTÈRE, NOUS POUVONS Y ARRIVER.

LORSQUE J'AI JOUÉ AU HOCKEY, JE N'AI JAMAIS PENSÉ QUE J'ÉTAIS PETIT, POURTANT JE SUIS PETIT DE TAILLE, MAIS J'AI TOUJOURS PENSÉ AU CONTRAIRE QUE J'ÉTAIS GRAND, CAR JE N'AVAIS PEUR DE RIEN. C'EST CE QUE LES JOUEURS DE PETITE TAILLE DOIVENT FAIRE. ON EST AUSSI GRAND QU'ON L'EST DANS SA TÊTE. THEOREN M'A DÉJÀ CONFIÉ: « MOI, JE NE ME SUIS JAMAIS SENTI PETIT, J'AI TOUJOURS JOUÉ COMME SI JE MESURAIS 6 PIEDS (1,82 M), RIEN DE MOINS. » TOUT COMME MOI D'AILLEURS.

N'oubliez pas que certaines personnes sont atteintes de cette maladie des yeux que j'appelle avec humour la « rectomyopie », qui touche ces gens qui ont le nerf optique attaché au rectum. Ils ne voient toujours dans la vie que le côté emmerdant des choses. Étant toujours négatifs, ils critiquent constamment ; ils ne sont jamais d'accord, et cherchent leur bonheur dans la polémique. Ils n'ont pas de vision et ils souhaitent surtout détruire celle des autres, à montrer qu'elle n'est pas réalisable. Ils vous répondent par des généralités comme : « ça ne marchera jamais », « tu rêves en couleur », « tu prends tes rêves pour des réalités ». Des gens comme ça, vous en connaissez sûrement. Ne perdez pas votre temps et votre énergie dans de longues discussions avec ce genre de personnes. Apprenez à avoir confiance en vous et en vos possibilités.

En tant qu'entraîneur, il faut aussi apprendre à déceler ce genre de personnes pour protéger vos joueurs. Il faut, bien entendu, savoir les reconnaître d'abord chez vous. Personne n'est parfait et nous sommes tous, dans certaines circonstances, atteints de « rectomyopie ». Avant de porter certains jugements, il importe de réfléchir et de faire une petite introspection.

DEPUIS PLUSIEURS ANNÉES, J'AI LA CHANCE D'ASSISTER AU TOURNOI ANNUEL DE GOLF DU CLUB DE HOCKEY DES CANADIENS DE MONTRÉAL, ET À CHAQUE OCCASION QUE J'AI D'Y VOIR MICHEL BERGERON, JE LE SALUE.

C'EST UN HOMME QUE J'ADMIRE, MAIS J'ÉTAIS UN PEU INTIMIDÉ PAR LUI, ET JE CROYAIS QU'IL ÉTAIT INACCESSIBLE EN RAISON DE SON STATUT.

QUAND J'AI EU LA CHANCE DE LE CÔTOYER À RDS, MA PERCEPTION A COMPLÈTEMENT CHANGÉ.

EXTRÊMEMENT GÉNÉREUX, IL VEILLE À CE QUE TOUS LES GENS SUR LE PLATEAU SE SENTENT BIEN EN SA COMPAGNIE. IL S'ASSURE QUE TOUTES LES PERSONNES AUTOUR DE LUI SONT BIEN, IL SALUE TOUT LE MONDE, IL A MÊME PRIS L'HABITUDE D'APPORTER DES PETITS PLATS CUISINÉS PAR SON ÉPOUSE.

IL FAUT APPRENDRE À CONNAÎTRE LES GENS AVANT DE S'EN FAIRE UNE OPINION. JE CROYAIS À TORT QUE MICHEL ÉTAIT UNE PERSONNE INABORDABLE, MAIS IL EST TOUT À FAIT LE CONTRAIRE : C'EST UN ÊTRE TOURNÉ VERS LES AUTRES.

Sachez aussi déceler et distinguer les différents types de commentaires, autant chez les joueurs que parmi les autres adultes qui entourent l'équipe. N'acceptez jamais de commentaires qui visent à diminuer une personne. Toutes les paroles négatives sur le sexe, la race, la couleur, la taille devraient être bannies. C'est votre responsabilité de vous assurer de protéger les joueurs à cet égard. Cela vous permettra de mieux travailler à bâtir leur confiance en eux et leur estime de soi, afin qu'ils deviennent de meilleurs joueurs et de meilleures personnes.

Les préjugés, le scepticisme et le conformisme sont parmi les plus grands maux psychologiques de l'humanité. Celui qui se trouve aux prises avec ces habitudes destructrices atteint rarement ses buts. Il veut être quelqu'un de bien, d'indépendant, il veut réaliser des choses importantes, mais il ne le peut pas. Son constant besoin d'approbation l'empêche de parvenir à ses fins.

LORSQUE J'AI JOUÉ AU HOCKEY, JE N'AI JAMAIS PENSÉ QUE J'ÉTAIS PETIT MÊME SI JE ME LE FAISAIS RAPPELER SOUVENT, CAR DANS MA TÊTE JE ME SENTAIS GRAND ET JE N'AVAIS PEUR DE RIEN.

Il n'est pas nécessairement néfaste de se comparer aux autres. Tout est une question de dosage. Celui qui se compare toujours aux autres vit habituellement dans la crainte. Il craint ceux qu'il imagine au-dessus de lui parce qu'il les croit supérieurs, il se sent incapable d'égaler leur niveau de performance. Il craint aussi ceux qu'il croit inférieurs, parce qu'il a l'impression qu'ils sont sur le point d'atteindre son niveau. D'autre part, celui qui se compare à lui-même, et qui voit les progrès qu'il réalise vers son but, bâtit simultanément sa confiance et son estime de soi.

MATHIEU RABY A FAIT LA SÉRIE *MONTRÉAL-QUÉBEC*, ET IL A FAILLI JOUER DANS LA LIGUE NATIONALE. POUR CETTE SÉRIE, STÉPHANE LAPORTE M'A DEMANDÉ D'INTERVENIR À TITRE DE SPÉCIALISTE DE LA PSYCHOLOGIE DU SPORT. J'AI DONC COLLABORÉ AVEC BOB HARTLEY ET L'ÉQUIPE DE QUÉBEC, CE QUI M'A PERMIS DE RENCONTRER MATHIEU RABY.

MATHIEU M'A CONFIÉ QUE SON ENTRAÎNEUR AVAIT MIS UN JOUR SON NOM DANS LA FORMATION DE SON ÉQUIPE, ET QU'IL EST REVENU SUR SA DÉCISION JUSTE AVANT LE MATCH. S'IL AVAIT JOUÉ, CELA AURAIT ÉTÉ SA PREMIÈRE PARTIE DANS LA LIGUE NATIONALE. DE PLUS, SA MÈRE EST DÉCÉDÉE DURANT CETTE PÉRIODE, ET IL N'A JAMAIS OBTENU UNE SECONDE CHANCE. CES DEUX DÉCEPTIONS L'ONT LITTÉRALEMENT BRISÉ ET EMPÊCHÉ DE JOUER AVEC BRIO.

PAR LA SUITE, CHAQUE FOIS QU'IL A ÉPROUVÉ DES PROBLÈMES DANS SA VIE, IL REVENAIT TOUJOURS AU DÉCÈS DE SA MÈRE, CAR MÊME SI CETTE MORT DATAIT DE PLUS DE 10 ANS, SON DEUIL N'AVAIT JAMAIS ÉTÉ FAIT. IL PORTAIT ENCORE CETTE DOULEUR AU CŒUR, CAR IL AVAIT ASSOCIÉ CES DEUX INCIDENTS. IL EST TRÈS DIFFICILE D'ÊTRE PERFORMANT LORSQUE L'ON TRAÎNE CERTAINES BLESSURES : LES DOULEURS REFONT SURFACE CONSTAMMENT.

IMPOSSIBLE DE S'EN EXEMPTER ! ON SE DOIT D'APAISER SES BLESSURES ET DE SE RÉSIGNER. PUIS, UN JOUR OU L'AUTRE, IL FAUT VIVRE CHACUNE DES ÉTAPES DE SON DEUIL, CE QU'IL N'AVAIT PAS FAIT.

MATHIEU S'EST DONC LIVRÉ À MOI DEVANT LES CAMÉRAS. SON MESSAGE A SÛREMENT AIDÉ D'AUTRES PERSONNES QUI SONT AUX PRISES AVEC DES DEUILS INACHEVÉS.

MÊME S'IL AVAIT L'AIR D'UN DUR AU HOCKEY, IL ÉTAIT HUMAIN ET SENSIBLE. IL NE FAUT DONC JAMAIS SE FIER AUX APPARENCES NI JUGER TROP RAPIDEMENT. IL FAUT ÊTRE EN PAIX AVEC SOI-MÊME POUR MONTRER QUI ON EST VRAIMENT.

LORSQU'ON PARLE DE DEUIL, ON NE PARLE PAS NÉCESSAIREMENT DE LA PERTE D'UN ÊTRE CHER. TOUTES LES DÉCEPTIONS OU TOUS LES ÉCHECS QUI NOUS TIENNENT VRAIMENT À CŒUR SONT AUSSI DE GRANDES PERTES, DE GRANDS DEUILS À FAIRE, ET ON SE DOIT DE VIVRE LES MÊMES ÉTAPES, AFIN DE POUVOIR SE LIBÉRER DES SENTIMENTS NÉGATIFS DE TRISTESSE ET DE COLÈRE QUI Y SONT SOUVENT ASSOCIÉS.

> « Ce n'est pas parce que les choses sont difficiles
> que nous n'osons pas, c'est parce que nous n'osons
> pas qu'elles sont difficiles. »
>
> – SÉNÈQUE

J'aimerais maintenant attirer votre attention sur une autre facette du hockey qui n'a peut-être rien à voir avec les préjugés, mais qui a un rapport très étroit avec la confiance que les joueurs doivent développer en eux-mêmes. Il s'agit de la terrible période de sélection des joueurs de l'équipe.

On invite plusieurs jeunes à la période d'entraî-nement, et on en retranche un certain nombre, au fur et à mesure, jusqu'à la fin du camp, au moment de décider de la composition finale de l'équipe.

Premièrement, je trouve inconcevable et regrettable que certains instructeurs confirment la place de jeunes garçons avant même que le camp ne soit terminé. Sur le plan psychologique, ce n'est vraiment pas la chose à faire. En effet, lorsque sa place est confirmée, c'est comme si le joueur avait fini de faire les efforts nécessaires. Pourquoi donc continuerait-il à suer autant pour un poste qu'il est déjà certain d'obtenir ?

Pensez donc un peu à ceux dont la place n'est pas encore garantie dans l'équipe. La pression additionnelle qui s'accumule sur leurs épaules est tout simplement colossale. Et plus la démarche avance, plus le nombre de places à combler est restreint, ce qui ajoute encore davantage de pression et de stress. Pas étonnant que plusieurs jeunes doutent et se posent alors des questions sur leur valeur et sur leur rôle. Il est vrai que ceux qui ont déjà joué l'année précédente (les vétérans, en quelque sorte) ont souvent une longueur d'avance sur les nouveaux joueurs, mais tous doivent donner leur maximum, et ce, jusqu'à la fin de la période d'entraînement. C'est ce qui compte.

Comment doit-on procéder lorsque l'on retranche un joueur ? Il est essentiel de faire cette démarche dans le respect du jeune. Car c'est son rêve, il y a mis tous ses espoirs. Quand on le retire de l'équipe, on risque de le décourager et même de faire en sorte qu'il arrête de pratiquer ce sport qu'il aime, qui le maintient en bonne santé, et qui fait de lui une meilleure personne. Il est donc important, lors cette étape, de lui expliquer clairement les raisons qui motivent cette décision. Je suggère aussi de rencontrer individuellement les joueurs retranchés de l'équipe, car le fait d'accomplir un tel geste devant tous les joueurs peut créer un sentiment énorme de gêne et d'humiliation.

L'entraîneur lui explique donc pourquoi il n'a pas été choisi, et ce qu'il devrait améliorer pour augmenter ses chances de jouer à ce niveau. Ne parlez jamais d'éléments sur lesquels il est impossible de travailler, comme sa taille ou un léger handicap physique. Efforcez-vous également de toujours signaler les aspects positifs de son jeu ou de son caractère.

Par exemple, il fait toujours bonne figure dans telle ou telle circonstance, ou bien il fait preuve de constance dans les entraînements, et de leadership auprès des autres. En somme, il faut faire une analyse rigoureuse et objective pour que les jeunes, qu'ils soient choisis ou retranchés, comprennent les raisons de la décision prise à leur égard.

Je sais qu'être entraîneur est une lourde tâche. C'est vrai au hockey comme dans tous les autres sports. Vous, de même que tous les autres responsables de l'équipe et de la ligue dont vous faites partie, devez connaître toutes les composantes indispensables pour remporter la victoire, mais vous devez surtout apprendre aux jeunes à se développer, à grandir et à aimer leur sport.

Si vous êtes de ceux qui donnent de leur temps, ayez à cœur le bien-être et le développement de nos enfants. Vos organisations sont comme des familles. Il y a des talents distincts et des aptitudes différentes. Il faut savoir comment aller chercher le meilleur dans chaque jeune, en travaillant à éliminer ou à minimiser les moins bonnes facettes. Vous devez vous assurer que le sport demeure un jeu où l'on doit avant tout s'amuser.

Si vous faites partie d'une organisation, il est de votre devoir de créer un environnement sain et juste pour tous les jeunes. On ne le fait pas assez souvent, mais j'aimerais vous remercier de tout ce que vous faites et de votre dévouement avec nos enfants. Ils seront nos leaders de demain, bien plus vite que vous ne l'imaginez.

Dans le monde du hockey, le rôle d'agent de joueur est l'un des plus difficiles. Pat Brisson, que j'ai interviewé lors de l'émission *L'Entracte*, était un excellent joueur de hockey dans les rangs junior. Mais, dans la Ligue nationale, c'est à titre d'agent qu'il a fait sa marque.

Être agent de joueur est difficile, car on doit choisir des jeunes avec lesquels on souhaite travailler et qui ont du potentiel. Cela amène beaucoup de pression de part et d'autre. L'agent souhaite que le jeune puisse s'illustrer pour atteindre la Ligue nationale, ce qui ajoute beaucoup de stress. Paradoxalement, il sait aussi que pour bien réussir, il faut que le jeune soit d'abord heureux et éprouve le moins de pression possible. D'ailleurs, certains jeunes qui sentent trop de pression décideront plutôt d'abandonner. Pat leur dit fréquemment que plusieurs de ses poulains ont déjà été retranchés de leur équipe, ce qui ne les a pas empêchés de se développer et de percer.

Pat a compris ce principe. Pour lui, le jeu doit demeurer amusant, quelque chose qui rend heureux, même si c'est une passion. Sinon, cela devient un travail et ses protégés sont trop jeunes pour ça. Voilà ce que Pat mentionne constamment à ses joueurs.

5

À chacun sa personnalité

> « Aucune richesse n'égale celle de connaître
> tes forces et de devenir le meilleur de toi-même. »

La personnalité est l'ensemble des éléments qui créent l'individualité d'une personne. Elle se développe à partir de ce qui nous est transmis par nos parents dans les gènes, mais elle se précise au fur et à mesure de nos relations et de nos expériences avec le monde. D'une certaine façon, chaque fois que vous rencontrez quelqu'un (surtout quand on est jeune), chaque fois que vous tentez une nouvelle expérience, chaque fois que vous vivez une nouvelle aventure, chaque fois que vous agissez et interagissez, votre personnalité se développe et se précise. Vous devenez la personne que vous êtes aujourd'hui.

> « Si je ne suis pas moi, qui le sera ? »
> – HENRY DAVID THOREAU

Il est donc important de savoir qui nous sommes pour aller de l'avant. On peut être dynamique, susceptible, enthousiaste, timide, avoir du leadership, du tempérament, ou que sais-je encore ! Et ce ne sont là que quelques-unes des nombreuses facettes que peut revêtir la personnalité. Il faut donc apprendre à se connaître pour être en mesure d'établir une véritable corrélation entre ce que l'on est et ce que l'on croit être, pour vivre en harmonie avec soi. C'est de cette conformité que naîtra l'authenticité. Vous savez, ces personnes dont on dit qu'elles sont vraies, qu'elles ne jouent pas de rôles. Pour aller plus loin, il faut d'abord savoir qui l'on est, et d'où l'on vient.

CRISTINA VERSARI, PH. D., A TRAVAILLÉ AVEC DE TRÈS NOMBREUX ATHLÈTES PROFESSIONNELS AINSI QU'AVEC PLUSIEURS DES MEILLEURS OLYMPIENS AMÉRICAINS. ELLE EST RESPONSABLE DU DÉPARTEMENT DE PSYCHOLOGIE SPORTIVE À LA SAN DIEGO UNIVERSITY FOR INTEGRATIVE STUDIES ET SPÉCIALISÉE EN ÉTUDE DE LA PERSONNALITÉ. ELLE FUT ÉGALEMENT, PENDANT 16 ANNÉES, RESPONSABLE DE LA PSYCHOLOGIE DU SPORT POUR LA NBA (NATIONAL BASKETBALL ASSOCIATION), CE QUI LUI A PERMIS D'ÉTUDIER LES PERSONNALITÉS ET LES COMPORTEMENTS DE TOUS LES JOUEURS DE LA NBA.

ELLE A TRACÉ LE PROFIL DES JOUEURS SELON LA POSITION QU'ILS OCCUPENT, ET ELLE A AINSI CONSTATÉ QUE LES JOUEURS AYANT LES MÊMES TYPES DE PERSONNALITÉ OCCUPAIENT GÉNÉRALEMENT LES MÊMES POSITIONS SUR LE TERRAIN. À L'INVERSE, CERTAINES PERSONNALITÉS SONT COMPLÈTEMENT ABSENTES DE CERTAINES POSITIONS, COMME SI L'ON CHOISISSAIT SA POSITION EN FONCTION DE SA PERSONNALITÉ.

IL EST DONC IMPORTANT POUR VOUS, LES JEUNES, DE RESTER LOYAUX À CE QUE VOUS VOULEZ. C'EST ENCORE VOTRE MEILLEURE CHANCE DE RÉUSSITE.

Pour réussir, il faut être bien préparé. C'est aussi vrai dans la vie que dans le sport. Si vous jouez au hockey, vous devez travailler dur et respecter vos coéquipiers. Si vous êtes entraîneur, il faut être juste, et savoir implanter une discipline et un excellent contrôle. Il vous faut également être capable d'encourager suffisamment l'équipe pour atteindre le premier rang. Mais que vous soyez joueur ou entraîneur, vous devez travailler sans relâche. Vous devez vous inciter à être le meilleur, tout en étant profondément persuadé que vous utilisez au maximum vos capacités.

De grands entraîneurs d'équipes gagnantes le disent: « Un des plus grands défis consiste à réunir un groupe d'individus afin qu'ils jouent ensemble et dépendent les uns des autres. » Aucun joueur ne peut tout faire seul. Il est difficile, voire impossible, pour un homme, même pour le meilleur joueur du monde, de tout faire par lui-même. Il faut travailler en équipe et, pour cela, cette dernière doit développer sa propre identité. L'entraîneur doit être conscient que chaque joueur a sa propre personnalité.

« La raison principale de la servitude intérieure
de l'homme est son ignorance et, par-dessus tout,
son ignorance de lui-même. Sans la connaissance
de soi, sans la compréhension du fonctionnement
de sa propre mécanique, l'homme ne peut pas être
libre, ne peut pas se gouverner, et il restera
toujours un esclave, car l'équilibre des forces joue
en sa défaveur. C'est pourquoi, dans tous les
enseignements de l'Antiquité, la première exigence
de la libération était de se connaître soi-même. »

– GEORGES IVANOVITCH GURDJIEFF

Êtes-vous extraverti ou introverti ? Êtes-vous une personne de pensées ou de sentiments ? Êtes-vous un être axé sur une tâche en particulier ou sur plusieurs ? Êtes-vous un spécialiste ou un généraliste ? Êtes-vous tourné vers l'intérieur plutôt que vers l'extérieur ? Avez-vous une vue d'ensemble ou plutôt axée sur un point précis ?

Pour faire une bonne introspection, il est nécessaire d'être en symbiose avec ses émotions. De nouvelles recherches confirment l'importance d'accepter à la fois ce que nous sommes et nos expériences passées, tout en mettant au premier plan les aspirations qui ont un sens pour nous.

Connais-toi toi-même, cette devise delphique du philosophe Chilon de Sparte, mais qu'on attribue à tort à Socrate, est toujours aussi actuelle. Logiquement, personne n'est mieux placé pour se connaître que soi-même. Mais c'est complexe : l'éducation, les expériences de vie et les contraintes externes orientent l'expression de notre personnalité, et modifient nos aspirations les plus intimes, sans que nous en ayons nécessairement conscience.

Pour vous aider à déterminer votre type de personnalité, je vous propose le test psychologique: Myers-Briggs Type Indicator (MTBI), disponible sur mon site Web: www.sylvainguimond.com

---

« L'individu n'obtient une réponse positive que lorsqu'il est prêt à faire face aux exigences que comportent un rigoureux examen et une bonne connaissance de soi. S'il persiste, non seulement découvrira-t-il une importante vérité à son sujet, mais il aura acquis un avantage psychologique. Il se dotera d'une nouvelle définition de sa propre dignité humaine et il aura franchi la première étape vers le fondement de sa conscience. »

– CARL JUNG

La découverte de son identité et de son affirmation fait partie des sujets les plus étudiés par les chercheurs en psychologie. Mes envies et mes aspirations sont-elles vraiment les miennes, ou celles que je m'impose pour répondre aux attentes sociales? Ma personnalité et mon comportement sont-ils en harmonie? Suis-je capable de faire preuve d'introspection pour découvrir qui je suis vraiment?

De nombreuses recherches en psychologie s'intéressent également à l'impact de l'affirmation de soi sur le bien-être personnel. Se découvrir, et surtout être en accord avec son identité la plus intime, apporte-t-il une meilleure harmonie avec soi-même ? Ces études s'inscrivent dans le cadre de la théorie de l'autodétermination. Selon cette approche, chacun de nous a trois besoins psychologiques qui nous poussent à agir : le besoin d'autonomie, le besoin de compétence et le besoin d'appartenance sociale. La satisfaction de ces trois éléments serait essentielle au bien-être psychologique.

« Être bien dans sa peau suppose d'être ouvert à tous les aspects de son identité, et de les accepter », explique Edward Deci, professeur de psychologie à l'Université de Rochester. Pour le chercheur, l'acceptation de soi est au cœur du développement personnel : elle renforce notre autonomie et développe le sentiment de liberté. « À son tour, la satisfaction du besoin d'autonomie renforce la vitalité, c'est-à-dire cette énergie qui pousse le soi à agir », poursuit Edward Deci.

Or, ces besoins ne sont pas satisfaits par des aspirations extrinsèques comme la célébrité, l'argent ou l'apparence physique, qui dépendent largement des pressions sociales. Quand nous sommes intrinsèquement motivés, le fait de parvenir à notre but nous apporte une réelle et profonde satisfaction. C'est tout l'intérêt de la découverte de soi : en donnant un sens personnel à nos aspirations et à nos motivations, on se connaît mieux et on vit mieux.

Plus la science évolue et plus on constate que notre cerveau dicte la qualité de notre vie. Il est l'organe qui crée la concentration, la bonne humeur, le sommeil profond, la créativité, les capacités relationnelles, l'intuition et le plaisir !

Chaque jour, notre cerveau crée de nouveaux circuits électriques et donne naissance à de nouveaux neurones, peu importe notre âge. Il possède donc une capacité de régénération et d'auto-transformation inégalée. Nous savons maintenant, grâce aux recherches de Francine Therrien, docteure en médecine expérimentale, que nous pouvons entraîner notre cerveau à développer de nouvelles capacités mentales, de la neuroperformance.

Les méthodes les plus puissantes pour transformer le cerveau nécessitent l'action consciente et répétée de l'individu en question. Par ses pensées, ses gestes et ses comportements, c'est lui qui modifie les circuits électriques et la biologie de son cerveau. Ce sont ces changements qui se manifesteront en définitive par des capacités et des états psychiques supérieurs.

En ce qui me concerne, il est essentiel de bien se connaître et aussi de bien connaître son cerveau pour réussir. Il faut donc savoir comment il fonctionne et comment déceler ses signes de détresse. On doit aussi apprendre à lui administrer les premiers soins, à lui fournir les nutriments qui lui sont essentiels et à comprendre l'impact du stress, des pensées, des hormones, du tissu social ou du sommeil sur la santé cérébrale de notre cerveau, ainsi que sa capacité à développer son plein potentiel.

Dans le but d'améliorer l'efficacité générale de notre cerveau, nous devons miser sur les bienfaits de l'entraînement aérobique sur les capacités mentales, qui se font sentir pendant plusieurs heures après l'entraînement. Il est donc judicieux de s'entraîner avant la période de travail intellectuel.

D'un point de vue scientifique, un entraînement physique bien dosé produit un effet antidépresseur, diminue le degré d'anxiété, favorise un sommeil plus long et plus récupérateur, a des effets positifs sur la mémoire et ralentit le vieillissement du cerveau, en plus d'améliorer l'estime de soi, les niveaux d'énergie et la qualité de vie.

Un bon niveau de stress permet même au cerveau de sécréter des substances que l'on appelle *facteurs de croissance*. Ces facteurs auront pour effet de faire naître de nouvelles connexions interneuronales et parfois même de mettre au monde des neurones.

C'est ainsi qu'un entraînement aérobique, comportant environ 40 minutes de marche vigoureuse ou 20 minutes de jogging, augmente les niveaux de sérotonine cérébrale de façon spectaculaire. La sérotonine est un antidépresseur naturel, souvent appelé hormone du bonheur.

Nous savons que notre cerveau est divisé en deux hémisphères. Le lobe gauche serait davantage orienté vers les émotions positives, et les comportements d'approche et de prise en charge. Lorsque le lobe gauche est moins actif, les fonctions du lobe droit, plutôt axé sur les émotions négatives et les comportements de retrait, occupent la place laissée vacante.

Avant de chasser une émotion, il est donc important de la ressentir et de la questionner, principalement pour deux raisons. D'abord, parce qu'elle cache peut-être quelque chose que l'on devrait examiner de plus près.

Ensuite, parce qu'il faut apprendre à être proche de soi, peu importent nos sentiments. Ne pas s'interroger pour connaître la cause de ce que l'on ressent pourrait nous amener à fuir ce que l'on vit au plus profond de soi.

En nous connaissant mieux et en connaissant davantage le fonctionnement de notre cerveau, nous arrivons à mieux nous comprendre et nous évitons ainsi de tomber dans les pensées négatives et les fausses croyances qui ne font que gâcher notre existence. On peut réapprendre à contrôler sa vie. C'est particulièrement important pour les sportifs et les hockeyeurs.

6

Nos priorités et nos objectifs

« Si j'avais un secret pour concilier
vie professionnelle et vie privée, je le vendrais. »

– SEAN CONNERY

Dans la vie, il faut faire des choix. Chacun d'eux aura un impact sur des aspects de votre vie. C'est à vous de savoir quelle importance prendra chaque facette et quelle place lui accorder, avant d'agir en conséquence. Dans un monde idéal, tout doit être équilibré et égal. Or, le monde idéal n'existe pas ici-bas.

TOUT LE MONDE CONNAÎT MICHEL THERRIEN. POUR MA PART, JE L'AI MIEUX CONNU LORSQU'IL ÉTAIT ENTRAÎNEUR DE LA FILIALE DES PENGUINS DE PITTSBURGH, À WILKES-BARRE/SCRANTON. QUAND MICHEL ÉTAIT ENTRAÎNEUR À PITTSBURGH, IL S'EST SÉPARÉ DE SA FEMME, ET IL A DÉCIDÉ DE PRENDRE EN CHARGE SON FILS QUI ÉTAIT ALORS AU DÉBUT DE L'ADOLESCENCE, ET SA FILLE. C'ÉTAIT TOUT UN DÉFI ÉTANT DONNÉ SON TRAVAIL QUI COMPREND DES VOYAGES ET DÉPLACEMENTS CONSTANTS.

Ne voulant pas les laisser loin de lui sous la garde d'étrangers, il les emmenait aux parties de hockey et les soigneurs s'occupaient d'eux comme de leurs propres enfants.

Michel n'aurait pas accepté le poste s'il n'avait pu avoir ses enfants avec lui. Pour lui, la famille était plus importante que son ambition dans le hockey.

Récemment, juste avant qu'il obtienne le poste avec les Canadiens de Montréal, il m'a confié que c'était la meilleure décision qu'il avait prise de donner la priorité à ses enfants sur le hockey. Pour moi, il est le premier exemple qui me vienne en tête de la priorité à la famille. Ses enfants admettent aujourd'hui avoir vécu les plus belles années de leur enfance à ce moment-là.

La vie familiale est tellement importante pour lui que lorsqu'il est revenu au Québec, Michel a acheté une maison et y a fait venir sa mère ; ils ont une belle complicité et beaucoup d'amour mère et fils.

Laissez-moi vous parler d'une autre famille assez exceptionnelle. J'ai connu le père, Édouard Darche, une personne extraordinaire qui a su transmettre à ses fils de la discipline et sa passion pour le hockey et le football : Mathieu et Jean-Philippe, l'un dans la LNH et l'autre dans la LNF. Ils sont deux beaux exemples de conciliation sport-études : ils n'ont pas négligé les études même si le sport est très exigeant à ce niveau. Les deux ont réussi des études universitaires, ce qui rend leur après-carrière plus rassurante. Il est essentiel pour les jeunes joueurs de hockey de comprendre que les études sont importantes, car la carrière de joueur de hockey est courte. Et vous transporterez avec vous un bon bagage venant de votre carrière

SPORTIVE POUR VOTRE DEUXIÈME CARRIÈRE. BRAVO,
ÉDOUARD, D'AVOIR FAIT DE TES ENFANTS DE BONS
EXEMPLES POUR LA JEUNESSE.

Nous avons compris par ce qui précède que le temps est omniprésent. Quoi que nous fassions, il en est toujours question. Évidemment, quand arrive le moment de décider de ce que nous voulons faire, le temps entre encore en jeu. Si nous avions l'éternité devant nous, il serait inutile de faire des choix, car tout serait possible, mais ce n'est malheureusement pas le cas. Il faut donc prendre des décisions à partir d'un éventail quasi infini de possibilités.

Qu'attendez-vous de la vie ? Vous les adultes parents, faites-vous toujours les bons choix ? Quand on travaille, on vend le temps qui nous est prêté, on vend sa vie. La vendez-vous assez cher ? On peut décider de donner la priorité à cette importante réunion avec un excellent client plutôt que d'aller encourager son jeune au hockey. L'inverse est également vrai. On peut négliger son travail pour consacrer plus de temps à préparer le plan de match de la prochaine partie de notre fille. Est-ce toujours le bon choix ? Chose certaine, dans ce cas également, c'est toujours nous qui décidons. Est-il possible d'établir des priorités qui respectent nos objectifs ? Le faisons-nous ?

Quand nous sommes jeunes, le temps n'est qu'une vague notion très éloignée de notre réalité. On se croit généralement éternel, voire indestructible, et on a assez de temps dans ses bagages pour ne pas s'en soucier. Pourtant, vous faites des choix aussi quand vous décidez de reporter ce devoir pour aller voir des amis, ou que vous choisissez de regarder un film plutôt que d'aller vous entraîner. Il n'y a que 24 heures dans une journée. Les occupez-vous toujours avec les meilleures activités pour atteindre votre but ?

Je vous ai déjà dit que j'ai beaucoup travaillé avec des patineuses et des patineurs artistiques. Je le fais d'ailleurs toujours. Ce sont de jeunes gens qui mettent une énergie incroyable à s'améliorer et à devenir les meilleurs de leur discipline. Pendant une session de travail, je leur ai demandé quelle était leur grande motivation à patiner : pourquoi, chaque jour, pendant au moins cinq heures, et cela depuis des années, continuaient-ils à se faire suer à patiner, et à s'entraîner ? Quand on est dans la vingtaine, on veut être libre, profiter de la vie, sortir et s'amuser avec les amis, faire des folies. Il y a mille choses qui nous intéressent. Alors pourquoi cet entraînement intensif et exigeant ?

Ils m'ont expliqué qu'il est impossible pour eux d'imaginer de ne pas s'entraîner ni de ne pas patiner, et c'est encore plus difficile à réaliser. Même s'ils doivent faire beaucoup de sacrifices, consacrer énormément de temps à leur sport, se coucher tôt, bien manger, éviter l'alcool, etc., ça devient leur mode de vie. C'est la route qui mène à leur rêve et ils ont pris la décision ferme de la suivre. Un pas après l'autre. Or, on le constate chez tous les grands athlètes, quel que soit le sport pratiqué, c'est une décision qui demande beaucoup d'efforts et de discipline. L'éthique de travail doit être impeccable. Mes athlètes l'avaient. L'avez-vous ?

LES PRIORITÉS

Avez-vous l'impression d'avoir de très bonnes idées, mais que le temps vous manque pour les mettre en application? Sentez-vous que vous n'avez pas assez de temps pour faire tous les exercices qui vous permettraient de vous améliorer sur la glace quand viennent les parties? Pour vous assurer d'accomplir tout ce que vous voulez faire, il faut être bien structuré. La gestion du temps est la première étape et elle passe par l'organisation de tout ce que nous avons à effectuer.

D'abord, il faut séparer les choses importantes de celles qui le sont moins. Les choses importantes sont celles qui ont un lien direct avec votre mission et vos objectifs dans la vie, celles directement liées à vos rêves. N'oubliez pas que chaque fois que vous concentrez votre attention sur un objectif, vous vous en approchez.

Dans un deuxième temps, il faut séparer les choses urgentes de celles qui ne le sont pas. Les choses urgentes sont celles à accomplir dans un avenir très rapproché. Mais elles ne sont pas nécessairement importantes, c'est-à-dire en lien très direct avec votre mission.

Faites la liste des choses importantes, puis la liste des choses moins importantes. Déterminez ensuite parmi les choses importantes lesquelles sont urgentes. Ce sont ces tâches que vous devez accomplir en premier. Viennent ensuite les choses importantes, mais non urgentes. En troisième lieu, les choses moins importantes, mais urgentes, puis enfin, s'il vous reste du temps, les choses moins importantes et non pressantes.

« Aimez-vous la vie ?
Alors, ne gaspillez pas le temps,
car il constitue l'étoffe même de la vie. »

– BENJAMIN FRANKLIN

L'attente intervient dans tout ce qui est important, mais non urgent, car à vrai dire cela peut attendre. Il faut être prêt à remettre les choses moins importantes qui ne sont pas pressantes. Cela peut s'avérer parfois très difficile, car le fait de vous attarder à ce qui est moins important et non urgent vous rend souvent le mauvais service de repousser les conséquences parfois douloureuses liées au fait d'accomplir l'important.

Pour certains jeunes joueurs de hockey que j'ai connus, il y avait aussi de temps à autre des choix déchirants. Quand il s'agissait par exemple de décider entre faire ces exercices de musculation essentiels à votre développement, mais qui sont si interminables et ennuyeux, alors que vous saviez que vos copains (et surtout cette petite nouvelle amie si mignonne) étaient en train de s'amuser dans le parc. Ça demande une force de caractère remarquable pour continuer à soulever des poids et haltères.

Si on gaspille son temps avec des activités qui ne sont pas dirigées vers l'atteinte de notre rêve, on s'en éloigne. Voici un petit tableau qui explique comment il est possible d'entrevoir les choses et d'organiser son emploi du temps. Pour vous, les jeunes, votre côté profes-

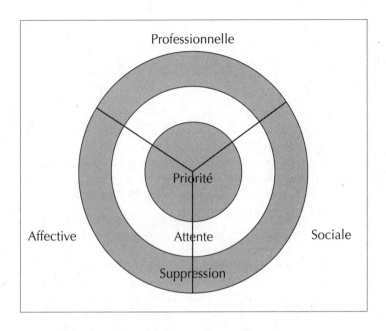

sionnel, c'est comme si c'était le hockey et l'école, car vous y mettez beaucoup de passion.

Afin de rester concentré sur votre cible, faites de vos objectifs une véritable priorité. Si vous n'investissez pas toute votre énergie et votre concentration dans les buts que vous souhaitez véritablement atteindre, cela ne peut que vous ralentir et diminuer les probabilités de succès. Il ne s'agit plus de dire ou de penser « je devrais… », ou « il faut que… », mais plutôt « j'ai choisi de… », puisque nous avons toujours le choix de nos décisions, mais pas vraiment des conséquences qui en découlent. Vous avez par exemple le choix de ne pas vous entraîner ou d'éviter de faire les choses qui vous plaisent moins, mais vous pouvez facilement en imaginer les conséquences !

ÊTRE BON N'EST PAS SYNONYME D'ÊTRE EXCELLENT. LORSQUE NOUS SOMMES BONS, CE N'EST PAS TROP EXIGEANT, NOUS SOMMES SIMPLEMENT BONS ET NOUS DEMEURONS À CE NIVEAU. ÊTRE EXCELLENT NOUS DEMANDE DE SORTIR DE NOTRE ZONE DE CONFORT ET DE SÉCURITÉ. CELA EXIGE DE NOUS DE FAIRE UN EFFORT POUR QUELQUE CHOSE DE PLUS GRAND. CE QUI FAIT DE NOUS DES GENS SPÉCIAUX, C'EST D'OSER LE PAS DE PLUS QUE LES AUTRES NE SONT PAS PRÊTS À FRANCHIR. IL FAUT ÊTRE EN MESURE DE PAYER LE PRIX POUR OBTENIR CE QUE L'ON DÉSIRE.

LES GENS QUI RÉUSSISSENT NE SONT PAS NÉCESSAIREMENT MEILLEURS ET PLUS TALENTUEUX, MAIS ILS SONT PLUS ENTÊTÉS, PLUS DÉTERMINÉS, ET ILS SONT DISPOSÉS À PAYER LE PRIX ALORS QUE D'AUTRES NE LE SONT PAS. NOUS ENTENDONS SOUVENT LES GENS DIRE : « TU ES CHANCEUX, TU AS RÉUSSI. » OR, IL N'Y A PAS VRAIMENT DE CHANCE DANS LA RÉUSSITE. À MOINS D'ÊTRE BIEN NANTIS FINANCIÈREMENT, NOUS DEVONS TRAVAILLER ET OFFRIR UN PRODUIT OU UN SERVICE À CEUX QUI LE VEULENT POUR RÉUSSIR. CELA NÉCESSITE BEAUCOUP D'EFFORTS ET DE DISCIPLINE.

ANDRÉANNE MORIN A OBTENU UNE MÉDAILLE AVEC SON ÉQUIPAGE EN AVIRON FÉMININ (AU HUIT DE POINTE) AUX JEUX OLYMPIQUES DE LONDRES. À UN JOURNALISTE QUI LES DISAIT CHANCEUSES D'AVOIR REMPORTÉ CETTE MÉDAILLE, ELLE A RÉPONDU : « C'EST ZÉRO CHANCE CETTE MÉDAILLE, CE N'EST QUE DE LA SUEUR ET DE L'ACHARNEMENT [...][1] »

IL EN VA DE MÊME DANS LE MONDE DU HOCKEY : ON NE DEVIENT PAS LE MEILLEUR JOUEUR SANS ENTRAÎNEMENT ET SANS EFFORT. IL FAUT TRAVAILLER PLUS QUE TOUS LES AUTRES. VOUS AVEZ SÛREMENT

---

1. *La Presse*, cahier des sports, le lundi 2 août 2012.

ENTENDU PARLER DE SIDNEY CROSBY, PROBABLEMENT LE MEILLEUR HOCKEYEUR AU MONDE EN CE MOMENT. EH BIEN, IL EST LE PREMIER SUR LA GLACE ET LE DERNIER À EN SORTIR. IL PATINE, S'EXERCE AVEC DES RONDELLES ET PRATIQUE SANS RELÂCHE.

CEUX QUI CONNAISSENT LA CARRIÈRE DE GUY LAFLEUR SAVENT QUE C'ÉTAIT UN JOUEUR DE LA MÊME TREMPE. IL ARRIVAIT PLUSIEURS HEURES AVANT LES PARTIES ET PRÉPARAIT SON JEU MENTALEMENT.

QUAND ON EST DÉTERMINÉ ET PRÊT À PAYER LE PRIX, ON ABOUTIT HABITUELLEMENT AU SUCCÈS. CE N'EST DONC PAS DE LA CHANCE, MAIS LE RÉSULTAT DE BIEN DES EFFORTS ET D'UN TRAVAIL ACHARNÉ.

7

L'importance du *focus*

L e *focus* n'est rien d'autre qu'une décision que vous devez prendre fermement. Vouloir profondément se concentrer sur un objectif et contrôler ce qui entre dans votre cerveau est une nouvelle habitude à acquérir qui vous sera extrêmement profitable. Pour atteindre les objectifs que vous vous êtes fixés, pour grimper les échelons au hockey, pour atteindre les ligues professionnelles, il est donc nécessaire de concentrer votre attention sur la cible, et de garder cette dernière bien en vue. Rappelez-vous le plus souvent possible les raisons qui vous ont poussé à faire vos choix, et les bénéfices de même que les satisfactions que vous en retirerez.

Lors de l'apprentissage de compétences ou de stratégies, allez-y étape par étape. Commencez par un échantillon facile, maîtrisez-le, puis passer à la prochaine chose la plus facile. Laissez l'expérience du succès venir à vous. Prenez bonne note de vos échecs et du nombre de fois que vous les avez surmontés.

On apprend de nos erreurs est un vieil adage tout à fait vrai. Vous devriez avoir, au fil du temps, une mémoire à court terme pour les échecs et une mémoire à long terme pour le succès. Gardez un catalogue mental bien présent de vos meilleures performances.

« L'échec est le fondement de la réussite. »

– PROVERBE CHINOIS

Maintenant que nous avons établi nos priorités et nos objectifs, il faut continuer à progresser. Il est important de déterminer clairement nos objectifs individuels et par la suite ceux de l'équipe. Et parmi tout ça, il reste des questions fondamentales comme le développement de nos compétences et l'incontournable question des communications.

Où puise-t-on son énergie pour être capable de persévérer devant l'adversité ? L'énergie émotionnelle est associée à des sentiments et à des émotions. On fait alors plutôt référence aux qualités d'énergie. L'énergie de faible qualité émotionnelle provient d'émotions négatives comme la peur, la colère ou la frustration ; alors que l'énergie de haute qualité émotionnelle provient des émotions positives telles que la confiance, l'espoir et l'excitation.

« L'échec provient plus souvent d'un manque
d'énergie que d'un manque d'argent. »

– DANIEL WEBSTER

L'adversité est le véritable test du leadership et de la motivation. Il est facile de bien faire dans des conditions idéales. Chaque crise individuelle ou d'équipe, chaque difficulté, déception ou revers sont des occasions de démontrer et d'enseigner les principes du leadership. Apprendre aux athlètes à rester pleinement engagés en dépit des blessures, des pertes irrécouvrables, d'une pression excessive des parents, de conflits de personnalités ou de commentaires négatifs des médias, voilà qui importe si l'on veut développer un leadership efficace.

Vous, les jeunes joueurs de hockey, vous avez joué depuis quelques années et vous avez développé plusieurs habiletés. Vous êtes probablement bons et vous croyez que vous serez capables d'avancer dans le monde du hockey. Cependant, cela ne sera pas possible si votre mental n'est pas également prêt. Je vais vous aider à développer votre mental afin que vous soyez au même niveau que physiquement.

Comment savoir si vous êtes un leader ? L'entraîneur, le parent et le joueur doivent se poser cette question. Un leader est quelqu'un qui donne l'exemple, et qu'on veut suivre. Il faut donc des compétences et ces dernières s'établissent par la confiance. Est-ce que vous avez confiance en vous ? Est-ce que vous avez les compétences nécessaires? Est-ce que vous avez le savoir-faire? Une fois que vous possédez une compétence et un savoir-faire élevés, vous savez que vous pouvez réussir.

Pour se construire un cerveau à toute épreuve, il faut:

- Premièrement, avoir une bonne estime de soi, ce qui représente la valeur que l'on se donne à soi-même.

- Deuxièmement, avoir une bonne confiance en soi, savoir que l'on est capable. Et finalement, repenser à l'image que nous avons de nous-même, et à ce que les autres vont penser de nous.

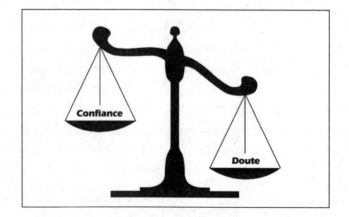

Abordons maintenant les trois plus grands doutes qui peuvent provoquer votre échec mental sur le plan de votre performance.

Posez-vous la question : *Est-ce que j'ai une bonne estime de soi pour pouvoir réussir ? Est-ce que je doute de moi ?* Se demander si on est la bonne personne pour le rôle qui nous est attribué. Se sentir inadéquat, avoir l'impression de ne pas être à notre place. C'est le doute de l'estime de soi.

Le doute de la confiance en soi consiste à douter de notre capacité non seulement d'être performant, mais d'atteindre nos objectifs. C'est le doute de notre capacité de bien réussir.

Le troisième doute est celui de l'image de soi : ce que les gens vont dire de moi, et ne pas être perçu par les autres de la façon dont on le voudrait. Ce sont les trois doutes les plus importants qui vont toujours vous suivre.

Mais il y a des solutions aux doutes. Premièrement, on ne peut changer ce que l'on ne connaît pas. Vous devez donc être conscient de vos pensées. Si vous doutez constamment de qui vous êtes, de ce dont vous êtes capable, ou que les autres n'ont pas confiance en vous, alors il vous faut agir. Comment ? En changeant vos pensées, votre façon de vous voir ; et vous obtiendrez les changements qui vous mèneront à la réussite.

Grâce aux études de Francine Therrien, Ph. D., nous sommes en mesure de distinguer les parties du cerveau qui sont sollicitées lorsque nous avons des pensées négatives, ou que nous doutons de nous. Il est important de comprendre que plus vous vous dirigerez vers ce type de pensées, plus vous glisserez aisément dans un cercle vicieux de pensées négatives.

D'autre part, quand nous avons confiance en nous-mêmes et sommes positifs, d'autres zones du cerveau sont sollicitées. En adoptant cette attitude, vous serez donc dans un processus qui aidera votre cerveau à prendre le bon chemin, et à apprendre adéquatement.

Trop souvent, malheureusement, des jeunes qui aiment le hockey sont terrifiés à l'idée de compétitionner. Bien au contraire, ils doivent se sentir convaincus, aimer leur sport, et être conscients que c'est un jeu. Plus vous éprouverez du plaisir et plus vous vous sentirez prêts à jouer, plus vous aurez un bon *focus* (une bonne concentration), meilleure sera votre réussite.

Il faut toutefois s'affirmer et acquérir de l'assurance. S'affirmer en soi-même signifie qu'on en vaut la peine, qu'on est capable, et que les gens vont penser du bien de nous.

LA ROUTINE AVANT LA COMPÉTITION

S'assurer avant un match que nous sommes en pleine possession de nos moyens grâce à une routine de compétition. Avoir de l'assurance, savoir bien écouter pour faire des choix conscients, entretenir des pensées qui nous amènent à nous construire plutôt qu'à nous autodétruire.

Il faut faire une distinction entre la routine et la superstition. Nous devons nous tenir bien loin de la superstition, car c'est une fausse vérité associée à quelque chose d'erroné.

Un point important en compétition consiste à être capable de garder le centre d'intérêt, en concentrant nos activités cérébrales sur une tâche précise : se concentrer. Chaque joueur de haut niveau doit connaître son rôle dans l'équipe et savoir ce qu'il doit faire, à chaque moment de la partie, pour s'assurer d'avoir du succès.

Pour améliorer sa concentration, il faut éviter d'être distrait par le manque de confiance, et par les pensées négatives qui surgissent dans notre tête en nous affirmant que nous sommes incapables de réussir. Il n'est aucunement question ici de talent, de génétique ou de chance. C'est avant tout une décision rationnelle, prise de façon délibérée : celle de choisir de se croire capable.

Pour en savoir plus et faire le programme, rendez-vous sur :

www.sylvainguimond.com.

8

Conseils aux entraîneurs

Nous sommes des êtres sociaux : nous aimons le sport et les équipes sportives. Nous encourageons nos enfants à participer à des sports d'équipe dès leur jeune âge, et nous soutenons ces activités tout au long de leur cheminement scolaire. Nous sommes fascinés par la dualité de la réussite individuelle et d'équipe. C'est vrai autant dans le monde du travail que dans celui du sport, que nous soyons participants à titre de joueurs, d'entraîneurs, de parents ou d'admirateurs.

Indépendamment de la culture et de l'histoire d'une équipe, tout commence d'abord comme une simple réunion d'individus. En continuant l'association, une identité collective commence à se former. Elle se caractérise par un sens de la solidarité et des comportements communs, une interaction et des communications plus homogènes. L'évolution du groupe dans une équipe s'établit par un niveau élevé d'interdépendance par rapport aux tâches et aux responsabilités.

Il se développe un consensus où les objectifs du groupe ont la priorité sur ceux des individus. Au hockey, chacun a un rôle plus précis. On peut vous demander de jouer plus défensif, et de laisser à d'autres le côté offensif de l'attaque. Mais si nous participons tous, c'est toute l'équipe qui gagne. Prenons pour exemple le football. Un joueur peut très bien ne pas toucher au ballon de toute la partie, et pourtant avoir joué un rôle significatif et déterminant dans la victoire.

Chaque équipe est unique. Les principes du développement de l'esprit d'équipe doivent être compris et appliqués selon chaque situation, avec une sensibilité et une attention particulières, conformément aux caractéristiques uniques de l'équipe, des entraîneurs et des athlètes. L'établissement d'objectifs est évidemment important pour les athlètes individuels, mais c'est aussi une étape essentielle pour bâtir l'esprit d'équipe.

Il est important d'établir et de déterminer de nombreux objectifs d'équipe, y compris le développement des compétences physiques, le renforcement des compétences techniques, la coordination de l'équipe, le plaisir de jouer et l'amélioration des performances compétitives pour gagner. Les entraîneurs doivent inclure tous les membres afin de clarifier et de déterminer des objectifs explicites et implicites. Ils doivent rechercher le maximum d'approbation pour que les objectifs soient crédibles et acceptés.

Il est important de créer une cohésion entre les membres, de clarifier et d'en arriver à un accord à propos de ce qu'est ou devrait être l'image de l'équipe. Cette vision devra être bâtie grâce à des discussions avec chacun des membres.

JE ME SOUVIENS D'UNE ANECDOTE QU'ÉRIC BÉLANGER M'AVAIT RACONTÉE. IL AVAIT BOB HARTLEY COMME ENTRAÎNEUR. UN MATIN, ÉRIC NE SE SENTAIT PAS BIEN AVANT UNE SÉANCE D'ENTRAÎNEMENT. IL TRAVERSAIT UNE FORME DE LÉTHARGIE. BOB DIT À SES ASSISTANTS DE FAIRE LA SÉANCE SANS LUI, CAR IL DEVAIT CONSACRER UN PEU DE TEMPS À ÉRIC DANS SON BUREAU.

CE GESTE DÉMONTRAIT L'IMPORTANCE QUE CE JOUEUR AVAIT POUR CET ENTRAÎNEUR. ÉRIC APPRÉCIA LE GESTE, ET CELA EUT COMME RÉSULTAT IMMÉDIAT DE LE SORTIR DE SA LÉTHARGIE. EN LUI TÉMOIGNANT DU RESPECT, BOB AVAIT DONNÉ À SON JOUEUR LE COUP DE POUCE NÉCESSAIRE POUR REBÂTIR SA CONFIANCE.

TOUT BON ENTRAÎNEUR DOIT TIRER LE MAXIMUM DE CHACUN DE SES JOUEURS, ET POUR Y PARVENIR, IL DOIT CONSACRER DU TEMPS À UN JOUEUR QUI FONCTIONNE MOINS BIEN. IL SUFFIT PARFOIS D'UNE PHRASE, OU D'UN SIMPLE PETIT MOMENT PASSÉ EN TÊTE-À-TÊTE, POUR QU'IL REPRENNE CONFIANCE EN LUI.

Comment savoir si vous êtes un bon entraîneur? C'est lorsque vous savez que vous faites passer les gens en premier. Si vous êtes un bon entraîneur, vous vous assurez d'un bon contact personnalisé avec chacun de vos joueurs. Vous faites en sorte surtout de connaître chacun d'eux, et surtout de faire évoluer chacun au maximum de ses capacités. De cette façon, vous leur rendez la vie plus facile, et ils sont alors en mesure d'être performants à leur plein potentiel. Si vous agissez ainsi avec tous vos joueurs, vous aurez beaucoup de succès comme entraîneur.

Être entraîneur relève de l'enseignement et de la motivation. C'est l'une des rares professions où le travail extrêmement difficile et l'engagement de l'entraîneur sont consacrés à un événement dont les résultats dépendent de la performance que d'autres exécutent. De plus, les entraîneurs doivent constamment trouver des moyens de motiver les joueurs pour les pousser à progresser.

De leur côté, les joueurs ont à apprendre de quelqu'un de plus compétent qu'eux, ce qui ne veut pas dire plus talentueux, afin de grandir et de se développer en tant qu'athlètes. Pour bien apprendre, ils doivent donc faire confiance à leur entraîneur, à sa formation et croire en sa vision. Dans un certain sens, ils doivent non seulement le respecter, mais ils doivent même l'admirer, bien que le mot soit peut-être un peu fort.

Regardez les équipes professionnelles de hockey : on y recherche des entraîneurs forts qui bien souvent ont prouvé leur valeur autant comme joueur que comme entraîneur. Cette confiance est essentielle pour que les joueurs adoptent un état d'esprit émotionnel positif qui les incitera à apprendre pour développer leurs capacités.

JACQUES DEMERS, C'EST UN MAÎTRE DANS L'ART DE METTRE LES AUTRES EN VALEUR. C'EST LA BONTÉ EN PERSONNE, IL EST TRÈS ATTENTIF AUX AUTRES ET APTE À FAIRE RESSORTIR CE QU'IL Y A DE PLUS BEAU EN EUX. EN TANT QU'ENTRAÎNEUR, JE DIRAIS QUE C'EST LA PERSONNE CHARGÉE DE L'ENTRAÎNEMENT D'UNE ÉQUIPE OU D'UN SPORTIF QUE TOUS LES JEUNES DEVRAIENT AVOIR. IL S'ASSURE QUE CHACUN AIT UN RÔLE IMPORTANT À JOUER, IL VALORISE TOUT LE MONDE.

JACQUES A RÉVÉLÉ DANS SON LIVRE QU'IL EST PEU INSTRUIT ET QU'IL SAIT À PEINE LIRE. CE N'EST PEUT-ÊTRE PAS UN HOMME DE LETTRES, MAIS IL EST SANS CONTESTE UN HOMME DE CŒUR DOTÉ D'UN GRAND SAVOIR EN CE QUI A TRAIT À L'ÊTRE HUMAIN. IL EST CELUI QUI PEUT LIRE LE MIEUX CE QUE SONT VRAIMENT LES GENS. LORSQUE L'ON CONNAÎT JACQUES DEMERS, ON A TOUJOURS ENVIE D'ÊTRE AVEC LUI ; C'EST UNE QUALITÉ IMPORTANTE POUR UN ENTRAÎNEUR. CEUX QUI CROIENT QU'IL FAUT ÊTRE DUR AVEC LES JEUNES SONT DANS L'ERREUR, CAR ON PEUT ALLER CHERCHER LES JOUEURS ET LES INCITER À DONNER LE MEILLEUR D'EUX-MÊMES AVEC LE CŒUR ET LES ÉMOTIONS.

L'IMPORTANCE DE LA COMMUNICATION

Si l'enseignement et la motivation sont indispensables, il est également important d'établir une communication efficace pour accéder au succès. Les entraîneurs doivent avoir une vision des objectifs à atteindre, et de ce que l'équipe doit devenir. Il faut ensuite faire accepter cette vision et continuer à la développer. Voilà pourquoi ils doivent posséder les outils et les qualités nécessaires pour traduire cette vision dans la réalité. Pour qu'une équipe grandisse et réussisse, ses membres doivent savoir communiquer ouvertement, autant sur le plan du fonctionnement général que sur celui des relations interpersonnelles. Mais le point de départ de cette démarche revient à l'entraîneur.

«Vous pouvez communiquer sans motivation,
mais il est impossible de motiver sans communiquer.»

– JOHN THOMPSON J^R,
ENTRAÎNEUR DE BASKET-BALL HOMMES,
ET FORMATEUR À GEORGETOWN UNIVERSITY

La communication suppose la transmission, la réception et l'interprétation de messages à travers une variété de canaux. Lorsque nous interagissons avec les autres, chaque message transmis comporte au moins deux types de composantes : l'information et l'émotion.

Comment les entraîneurs parviennent-ils à dire et faire passer des messages importants? Ceux qui sont des communicateurs efficaces utilisent de multiples canaux pour y arriver.

UN JOUR QUE JE PARTICIPAIS À LA SÉRIE *MONTRÉAL-QUÉBEC*, BOB HARTLEY ME DIT TOUT EN MARCHANT DANS UN CORRIDOR : « QUAND TU PARLES À UN JOUEUR, UTILISE TOUJOURS LA "TECHNIQUE SANDWICH". JE T'EXPLIQUE : TU COMMENCES PAR LUI FAIRE UN COMPLIMENT ; ÇA, C'EST LA PREMIÈRE TRANCHE. ENSUITE, TU LUI FAIS SAVOIR CE QUI NE VA PAS, LES CHOSES À AMÉLIORER ; ÇA, C'EST LA VIANDE, ET C'EST LE MESSAGE MOINS PLAISANT POUR LE JOUEUR. ET TU TERMINES AVEC LA DERNIÈRE TRANCHE DE PAIN EN LUI FAISANT UN AUTRE COMPLIMENT. »

La plupart des gens croient qu'ils communiquent mieux ou aussi bien que n'importe qui. Cette perception peut causer des problèmes, car elle sous-entend que les

lacunes de communication sont la faute ou la responsabilité de quelqu'un d'autre. N'entendons-nous pas, à
l'occasion, des entraîneurs dire que c'est la responsabilité
de l'équipe de s'adapter à leur style personnel de communication? Alors que ce devrait être l'inverse. Une bonne
évaluation de ses propres compétences à ce chapitre est
vitale.

De plus, pour qu'un entraîneur communique efficacement, il doit avoir de la crédibilité aux yeux de ses
athlètes. Pour y arriver, il doit chercher à bâtir et développer un climat de confiance et de respect mutuel.

La confiance est une voie à double sens qui doit être
construite pierre par pierre, au fil du temps. Une partie
importante de ce travail revient toutefois à l'entraîneur
qui doit, jour après jour, démontrer par ses actions son
honnêteté (les athlètes le croient-ils?) son *intégrité* (ses
actions sont-elles en accord avec les valeurs et le système
de croyances?) et son *ouverture d'esprit* (communique-
t-il d'une manière ouverte et honnête?). C'est comme ça
qu'il gagne la confiance de ses athlètes.

**La crédibilité est déterminée par les réponses que les
athlètes donnent aux questions suivantes:**

- Les entraîneurs établissent-ils des lignes de communication ouvertes?

- Agissent-ils d'une manière honnête, sincère et
  cohérente?

- Acceptent-ils les athlètes pour ce qu'ils sont en
  tant qu'individus?

— Se soucient-ils véritablement de leurs athlètes en tant que personnes?

Si les athlètes répondent affirmativement à ces questions, les entraîneurs seront considérés comme dignes de confiance, et auront développé et entretenu un système de communication efficace.

« Ce n'est pas ce que vous leur dites,
c'est ce qu'ils entendent. »

– RED AUERBACH, ANCIEN ENTRAÎNEUR DES CELTICS DE BOSTON

Malheureusement, la plupart des gens supposent qu'entendre signifie comprendre. Mais ce n'est pas aussi simple. Il y a des gens qui se mettent en colère quand la personne à qui ils s'adressent ne semble pas de la même opinion ou ne donne pas l'impression de suivre la conversation.

Il existe plusieurs types d'écoute :

- « la pseudo-écoute » (sembler être à l'écoute sans prêter attention);

- l'écoute absente (penser à ce que vous allez dire pendant que l'autre parle);

- l'écoute sélective (n'entendre que les parties d'un message qui vous intéressent);

- l'écoute isolée (en oubliant complètement un message, que vous ne voulez pas entendre);

– et l'écoute embuscade (écoute seulement pour recueillir des informations à utiliser pour attaquer le communicateur).

Mon bon ami Jacques Salomé, qui a écrit plusieurs livres sur la communication, et un autre de mes amis, Léon-Maurice Lavoie, ont accrédité la Méthode « **ESPERE** », qui signifie Énergie Spécifique Pour une Écologie Relationnelle Essentielle. Cette méthode témoigne surtout d'un esprit et d'une éthique de vie. Elle incite surtout chacun à revoir sa propre façon d'échanger, de partager, de s'approprier, de confronter ou d'accepter les différences. Elle force ainsi chacun à évaluer ses croyances, ses mythologies, ses certitudes et son seuil d'intolérance. Elle suppose des exigences et une éthique de vie tournées vers soi-même, plus que vers autrui.

« Entre
Ce que je pense,
Ce que je veux dire,
Ce que je crois dire,
Ce que je dis,
Ce que vous voulez entendre,
Ce que vous entendez,
Ce que vous croyez en comprendre,
Ce que vous voulez comprendre,
et ce que vous comprenez,
Il y a au moins neuf possibilités
de ne pas se comprendre. »

– BERNARD WERBER

Voici les erreurs que les gens commettent souvent lorsqu'ils croient faire de l'écoute active. Il faut toujours garder le respect, et construire l'estime et la confiance de l'athlète. Ne jamais prendre une réponse à la légère. Si la réponse n'est pas la bonne à vos yeux, il faut essayer de savoir pourquoi l'autre répond de cette façon, et ne jamais juger une réponse. Démontrez que vous êtes intéressé à la conversation, donnez votre confiance pour obtenir celle de l'autre.

Il est important de faire du renforcement positif que l'on appelle la rétroaction. Mais il doit être efficace : ne dites pas seulement « bravo ! cela a bien été ! », mais dites aussi pourquoi vous félicitez la personne. Vous devez dire précisément ce que le joueur a fait de bien. Lorsque la performance du joueur est moins bien, dites-lui : « J'aurais aimé que tu agisses de telle façon, je pense que cela aurait été plus efficace ; qu'est-ce que tu en penses ? » Le joueur répondra alors de façon plus affirmative, et il fera mieux la prochaine fois. Le renforcement doit être juste et honnête.

Voici quatre conseils importants qui peuvent s'adresser autant aux parents qu'aux entraîneurs :

1. Être précis plutôt que se contenter de généralités, pour obtenir de bonnes réponses.

2. Être descriptif plutôt qu'évaluateur, décrire les choses.

3. Avoir le « *focus* » sur le comportement de la personne.

4. Maintenir une relation importante dans le respect.

Pour obtenir de la confiance, il faut en démontrer ; il faut faire confiance à ses joueurs. C'est une question d'échange mutuel entre l'entraîneur et ses joueurs. Cela se passe de la même façon pour le respect. Pour être respecté, il faut absolument respecter les autres.

Que pouvez-vous faire pour établir et inspirer le respect ? Voici trois clés importantes pour établir le respect :

1. Questionnez la personne et vous comprendrez à qui vous avez vraiment affaire.

2. Informez-la que vous allez avoir une relation à long terme avec elle. Que vous serez là pour elle, même dans les moments difficiles !

3. Établissez clairement les choses, en lui mentionnant ce que vous pourrez faire pour elle.

La seule façon d'avoir un joueur confiant est de lui donner confiance en lui-même. C'est également la façon dont lui-même vous redonnera confiance. Par conséquent, cela fonctionne dans les deux sens.

Comme entraîneur, vous êtes obligé de faire ce que vous avez dit que vous feriez. Sinon la confiance se perd. Donc, soyez juste et tenez vos promesses. Cela vous permettra de garder le respect de vos joueurs.

Voici quelques questions auxquelles on doit répondre à titre de joueur, d'entraîneur ou de parent :

1. Est-ce que je suis capable d'admettre mes erreurs?

2. Est-ce que j'écoute vraiment les gens en cherchant à les comprendre, et à connaître leur véritable vision et leurs idées?

3. Est-ce que je pense vraiment ce que je dis, et est-ce que je fais ce que je dis?

4. Est-ce que j'informe les autres, et est-ce que je garde mes sentiments pour moi seul?

5. Est-ce que je dis toujours la vérité?

6. Est-ce que j'abaisse les autres?

7. Est-ce que j'établis vraiment ce que je veux?

8. Est-ce que j'ai le courage de me prononcer moi-même?

9. Est-ce que je suis capable de prendre un engagement avec moi-même?

10. Est-ce que j'ai peur des difficultés? Ou est-ce que les difficultés me font plaisir?

11. Est-ce que je communique mes habiletés et mes ressources?

12. Est-ce que mon comportement et mes intentions vont de pair?

13. Est-ce que mon comportement détermine bien mes intentions?

14. Est-ce que j'ai le courage de supporter les autres?

15. Est-ce que je parle des autres en leur absence?

16. Est-ce que j'ai toujours de bons mots pour les autres?

17. Est-ce que les autres ont de la valeur pour moi?

Ce sont des questions qui vous feront avancer et déterminer qui vous êtes vraiment.

9

L'importance des relations

Dans la communication, il y a un émetteur et un récepteur; il faut s'assurer que le message est clair et surtout qu'il est bien compris par celui qui le reçoit, afin d'éviter toute confusion. On demande simplement: «Est-ce que ce que je viens de te dire est clair? As-tu bien compris? Qu'est-ce que tu en retiens?» La personne tentera d'expliquer ce qu'elle en a compris. Il ne faut pas oublier que la façon de livrer le message, et le moment où il l'est, sont très importants.

Par conséquent, immédiatement après une partie, c'est le moment d'encourager et de féliciter votre enfant. Pour lui signaler une erreur, il vaut mieux attendre. Il faut alors choisir un moment propice et lui présenter le tout de façon positive, pour qu'il grandisse et non pour qu'il doute de lui-même. Souvenez-vous que le plus important, c'est l'enfant et non le sport.

Comment les parents et les entraîneurs doivent-ils faire pour avoir une écoute active? Premièrement, il leur faut être 100 % présent, et écouter non seulement ce que l'on veut entendre, mais ce qui est dit. Écouter sans jugement. Écouter, comprendre et se mettre à la place de celui qui parle. Écouter le message derrière le message, et s'assurer qu'on a bien compris ce que l'athlète nous dit. Écouter de façon attentive et active, et faire une rétroaction de ce qui nous est dit.

Je m'adresse maintenant aux parents. Sachez que votre travail de parents se fait tout naturellement, vous êtes là pour soutenir votre enfant qui joue au hockey parce que vous aimez le voir s'accomplir. Comme parents, vous devez absolument être des participants positifs. Vous devez toujours donner du renforcement positif, afin de soutenir le comportement de votre enfant. Gardez le *focus* sur la confiance, parlez-lui de façon à lui donner et à lui faire conserver sa confiance, et non pas à créer un doute. Évitez de lui transmettre vos peurs; parlez-lui plutôt de possibilités, de plaisir dans la compétition et de réalisation.

L'engagement que vous devez prendre envers vous-mêmes comme parents consiste à discipliner vos émotions. L'athlète, votre enfant, n'a pas besoin que vous perdiez les pédales, que vous vous fâchiez, et il n'a pas besoin non plus que vous soyez impliqués sur le plan émotif, sauf pour les choses positives. Donc, encouragez-le, mais ne le blâmez jamais, et laissez l'entraîneur jouer son rôle.

Le parent ne doit jamais essayer d'être l'entraîneur. Votre rôle est d'être présent à votre enfant, seulement à son écoute sans rien dire, afin qu'il puisse libérer ses émotions. Il se peut que votre enfant vous dise des paroles blessantes. Sachez que, malheureusement pour vous, c'est pour lui une façon d'exprimer son stress. Ne cherchez pas la confrontation, soyez son supporteur et non pas son compétiteur. Conservez toujours le respect que vous avez pour lui.

LA RELATION ENTRE LES PARENTS ET LE JOUEUR

Elle devrait être la plus simple possible, mais c'est souvent celle qui est la plus compliquée. Trop souvent, les objectifs de chacun ne sont pas les mêmes. Les parents devraient être là pour encourager l'enfant et l'aider à passer à travers les moments difficiles. Ils voient rarement leur enfant de façon objective, ils le voient plutôt meilleur ou moins bon qu'il ne l'est vraiment. Ils voudraient qu'il soit plus ceci ou plus cela. Les parents devraient tout simplement aimer leurs enfants, inconditionnellement, peu importe leur réussite ou leur échec. Ils doivent être là pour les aider, les réconforter et les soutenir, mais pas pour les juger. Assurez-vous d'avoir une bonne communication avec votre enfant. C'est primordial.

Le sport peut certainement aider nos enfants à devenir de jeunes adultes responsables et autonomes, bref, de bonnes personnes. Le sport est en soi une société miniature où il y a des règles à suivre, et où l'on doit cohabiter avec d'autres personnes. À vouloir qu'il gagne à tout prix, à vouloir qu'il soit toujours le meilleur, bien souvent les parents, sans en être vraiment conscients, mettent beaucoup de pression sur leur enfant.

Dans la majorité des cas, l'enfant ne jouera pas aussi bien s'il sent un tel poids sur ses épaules, et cela risque de déclencher un cercle vicieux : plus les parents exercent de pression, moins l'enfant se distingue, et moins il s'illustre, plus les parents mettent de la pression. Dans le feu de l'action, il peut se dire ou se produire des choses qui ne se feraient ni ne se diraient pas dans d'autres circonstances. Oui, dans le feu de l'action il peut arriver que nos gestes ou nos paroles dépassent notre pensée. Alors, attention à la façon et au moment où vous voulez passer un message.

Il faut être très prudent, car le sport est un monde rempli d'émotions. Il faut s'assurer de garder les pieds sur terre pour éviter les gestes irréfléchis. À vrai dire, c'est au jeune de mettre le holà lorsqu'il se sent trop poussé ou écrasé par l'un de ses parents. Il peut, et même doit lui dire, avec gentillesse, qu'il n'est pas très heureux de toute cette pression, qu'il n'éprouve plus de plaisir à jouer dans de telles conditions. Cela aidera ses parents à réfléchir sur leurs actions et leurs paroles, à mieux raisonner, et à faire ce qu'il y a de mieux pour leur enfant.

« Je ne l'aime pas parce qu'il est bon,
mais parce qu'il est mon petit enfant. »
– RABINDRANÀTH TAGORE

LA RELATION ENTRE LE JOUEUR ET L'ENTRAÎNEUR

C'est le jeune qui compte. Les instructeurs qui sont là pour leur propre gloire, leur propre ego et pour gagner à tout prix, n'ont pas leur place auprès des adolescents. En tout cas, pas au niveau amateur. Les entraîneurs doivent être là pour l'amour du sport, mais d'abord et avant tout, pour l'amour et le développement des jeunes. Ils doivent vouloir transmettre leurs connaissances, de façon que le joueur puisse emmagasiner ces valeurs, s'améliorer tout en s'entraînant, et avoir la chance de pratiquer son sport en confiance, tout en étant bien encadré.

Si un problème survient, et que l'entraîneur met trop de pression sur un jeune, ce dernier doit se sentir suffisamment en confiance pour être capable de lui parler, de façon polie, et de lui expliquer ce qui l'ennuie. L'entraîneur fait généralement son travail pour les bonnes raisons, c'est-à-dire parce qu'il aime ce sport. Le bon entraîneur est celui qui est là pour ses joueurs, pour voir à ce qu'ils s'amusent et progressent. Voilà pourquoi il saura écouter.

LA RELATION ENTRE LES PARENTS ET L'ENTRAÎNEUR

La relation parents-entraîneur est importante. Il faut que les parents prennent conscience que l'entraîneur ne s'occupe pas d'un seul enfant. Les parents doivent avoir un grand respect pour l'entraîneur, et intervenir le moins possible pendant les entraînements ou les parties, afin que l'entraîneur puisse consacrer toute son attention sur les jeunes.

Si les parents veulent intervenir, ils pourront le faire plus tard, en tête-à-tête avec l'entraîneur. Rappelez-vous cependant que des parents qui s'adressent à l'entraîneur en ne pensant qu'à leur enfant, peuvent créer un mauvais climat de communication. De plus, la nature humaine étant ce qu'elle est, ce sera souvent le jeune qui en paiera la note.

L'entraîneur doit poser les bonnes questions. Des questions qui nous amènent à être constructifs. Des questions concrètes accompagnées d'une écoute attentive. Des questions qui traitent de conscience et de responsabilité. Donc, des questions de fond sur des choses qui doivent être faites. À éviter les questions dont on connaît d'avance les réponses. Les bonnes questions à poser concernent souvent l'état physique et psychologique de l'athlète, et les responsabilités à prendre. Ce doit être des questions pour que le jeune sente que vous êtes là pour le soutenir et l'aider.

Pour ce qui est de l'entraîneur, rien n'est plus puissant que de lui poser les bonnes questions. Des questions qui l'amèneront à se remettre en question et à voir ce qui s'est vraiment passé. Vous aurez donc ainsi une discussion plus ouverte, au lieu de le critiquer et de lui dire comment faire. Il faut lui demander ce qu'il croyait devoir faire dans telle situation, et pourquoi il a agi de cette façon.

Quand on pose de bonnes questions, on obtient des réponses. Le mot *réponse* vient du mot *responsabilité*. Par conséquent, on responsabilise l'athlète. C'est pourquoi il faut s'assurer de poser de bonnes questions constructives, pour que le joueur sente que les questions sont posées dans son intérêt. Faites-le toujours sur un bon ton, et non sur un ton sarcastique, qui pourrait le diminuer, le rabaisser ou le ridiculiser. Faites-le ouvertement et de façon individuelle, pour lui permettre de bien réfléchir à ce qui s'est passé, d'apprendre, et de se responsabiliser, en lui fournissant aussi des réponses.

Voici pour vous les entraîneurs, comment les questions doivent être posées pour obtenir le plus de résultats possible de votre athlète. Les questions les plus efficaces sont celles qui commencent par « quoi », « comment », « quand », « qui », « pourquoi », et on laisse ensuite l'athlète répondre. On n'utilise jamais des tournures de phrases comme « je te l'avais bien dit » ou « je le savais ». On pose des questions franches pour obtenir des réponses intelligentes et précises.

Votre corps doit s'exprimer dans la communication. Démontrer physiquement de l'empathie. Montrez ouvertement que vous voulez vraiment aider en affichant votre plus beau sourire. En résumé, nous voulons comprendre, clarifier notre position et celle de l'athlète. On veut le guider dans la bonne direction.

LA RELATION ENTRE LES PARENTS

Quelle que soit l'équipe pour laquelle joue votre enfant, la communication entre parents est importante. Chacun de nous doit comprendre que nous sommes tous là pour encourager les jeunes, qu'il s'agisse de nos enfants ou de ceux des autres. L'objectif de notre présence aux matchs est de valoriser les jeunes et de leur donner confiance. Les parents doivent aussi respecter les autres parents, car eux aussi sont là pour les jeunes joueurs.

Nul besoin de vous faire un dessin pour comprendre que la relation entre les entraîneurs et les arbitres est parfois difficile. Les arbitres ont un rôle ingrat : ils doivent s'assurer que les règles du jeu sont respectées afin de protéger nos enfants. Ils font appliquer les règles, et il est donc important que les enfants les écoutent. Le message de l'arbitre, de l'entraîneur ou celui des parents doit être le même en ce qui a trait aux règlements. Les arbitres consacrent leur temps, souvent bénévolement, à faire ce travail.

Alors le moins qu'on puisse faire est de les soutenir et de les respecter. Je le répète, vous les entraîneurs, et vous les parents, êtes des modèles pour les jeunes. Vous devez donc parler de façon respectueuse aux arbitres. Vous devez être conscients de l'influence que vous avez sur les jeunes, et comprendre le mauvais message que vous leur transmettez quand vous critiquez continuellement les décisions de l'arbitre qui représente l'autorité.

LA RELATION ENTRE LES JOUEURS

Les joueurs devraient former une belle famille. C'est toute une chance qu'on a de jouer dans une équipe. Il faut donc traiter nos coéquipiers avec respect. Il faut chercher à s'entraider, car c'est un excellent moyen de développer un bel esprit d'équipe, de connaître des succès, et d'affronter des échecs. Si vous développez cet esprit de camaraderie, cela vous permettra de créer des moments inoubliables avec vos amis.

10

L'importance de votre attitude

Vous êtes-vous déjà demandé pourquoi certaines personnes semblent plus facilement affectées que d'autres par les événements ? Je crois que c'est essentiellement une question de perception et d'attitude. Notre manière de percevoir les choses détermine notre attitude, et celle-ci détermine notre façon de vivre notre vie. Changez votre perception et voyez la vie avec une bonne attitude. Elle sera plus belle et risque même d'avoir un nouveau sens.

Quand vous jouez une partie de hockey, avez-vous remarqué que vous ne jouez pas de la même façon, que ce soit individuellement ou en équipe, si vous estimez que votre gardien de but n'est pas bon ? Ou encore, contre tel joueur qui est très habile et rapide, et contre lequel vous avez déjà éprouvé des difficultés dans le passé, vous vous retiendrez plus, vous reculerez davantage.

En bref, votre perception d'une situation a un impact direct sur l'attitude que vous aurez. Le contraire est également vrai. Si vous avez devant vous un joueur que vous savez plus faible et moins rapide, vous jouerez avec plus de confiance et beaucoup moins de stress, ce qui aura pour conséquence que vous le contournerez généralement sans aucun problème.

Ce que l'on est, notre profil si vous préférez, détermine souvent notre perception des choses, et l'attitude que nous adopterons dans une situation précise. Je le répète, la confiance que l'on a en soi-même, et les valeurs qui nous ont été inculquées par nos parents, jouent un rôle primordial dans tout ce cheminement. C'est à travers ce filtre que tout passe.

Le plus grand don que des parents peuvent faire à leurs enfants est de les aider à avoir confiance en eux-mêmes, en les rendant autonomes. Je crois qu'on doit leur donner, quel que soit leur âge, autant de responsabilités qu'ils peuvent en assumer. C'est en devenant indépendants qu'ils apprendront que l'un des plus grands privilèges de la dignité humaine est de se tenir debout.

Les parents ont la responsabilité fondamentale d'aider leurs enfants à passer en douceur de la dépendance à l'autonomie. Dans le processus de transition, on doit permettre aux enfants de commettre des erreurs. Chaque fois que vous accomplissez, à la place d'un individu, une tâche dont il peut s'acquitter lui-même, vous lui dérobez littéralement quelque chose. Il faut commencer à couper le cordon ombilical dès le début de l'adolescence. Prodiguez-leur de l'amour, de l'encouragement, et reconnaissez leurs réalisations.

Les individus qui n'ont pas appris à être autonomes n'ont souvent pas d'autre solution que de manipuler leur entourage afin d'obtenir ce qu'ils veulent. Si vous n'êtes pas autonome, vous êtes obligé de miser sur votre aptitude à influencer les autres, afin que les gens vous servent et comblent vos besoins. Si vous vous servez d'autres personnes comme véhicule pour cheminer dans la vie, vous ne pourrez aller plus vite ou plus loin qu'elles, puisque vous êtes à leur remorque. Si vous avez des enfants, soyez conscient des gestes que vous faites et qui peuvent les maintenir dans un état de dépendance. Rappelez-vous qu'ils pourraient le payer très cher un jour.

IL Y A QUELQUES ANNÉES, À TORONTO, J'AI PARTICIPÉ À L'ÉVALUATION DES RECRUES DE LA LIGUE NATIONALE DE HOCKEY, CE QUE L'ON APPELLE LE « COMBINE », QUI A POUR BUT DE TESTER LES PERFORMANCES DES JOUEURS. COMME CHAQUE ANNÉE EN JUIN, CETTE ÉVALUATION COMPORTAIT UN EXAMEN MÉDICAL BASÉ SUR LA CONDITION PHYSIQUE. DURANT CETTE JOURNÉE, LES CANADIENS DE MONTRÉAL, COMME TOUTES LES AUTRES ÉQUIPES, EN PROFITAIENT POUR RENCONTRER CERTAINS « PROSPECTS » POUR S'ENTRETENIR AVEC EUX AFIN DE MIEUX LES CONNAÎTRE. J'AI EU LA CHANCE DE PARTICIPER À CES RENCONTRES AVEC LE DR MULDER[2], ANDRÉ SAVARD[3] ET GAÉTAN LEFEBVRE[4]. UN JEUNE JOUEUR RUSSE SE PRÉSENTE (NOUS AVIONS ÉVIDEMMENT

2. Le docteur David Mulder est le médecin en chef des Canadiens depuis le début des années 2000.
3. André Savard a été directeur général des Canadiens, de novembre 2000 jusqu'à la fin de la saison 2002-2003.
4. Gaétan Lefebvre est un thérapeute renommé du sport qui a longtemps œuvré avec les Canadiens.

UN TRADUCTEUR PUISQUE CE DERNIER NE PARLAIT NI
ANGLAIS NI FRANÇAIS) ET ANDRÉ LUI DEMANDE QUEL TYPE
DE JOUEUR IL EST. SANS MÊME ATTENDRE LA FIN DE LA
TRADUCTION, LE JEUNE ATHLÈTE RÉPOND : « *ME, I SCORE
GOALS*[5] ! » ANDRÉ LUI POSE ALORS UNE SECONDE
QUESTION : « SI ON TE DEMANDAIT DE JOUER DANS UN
SYSTÈME DÉFENSIF, COMMENT RÉAGIRAIS-TU ? » ET,
ENCORE UNE FOIS, SANS MÊME ATTENDRE LA FIN DE LA
TRADUCTION, IL A RÉPONDU : « *ME, I SCORE GOALS !* »

APRÈS QUELQUES AUTRES QUESTIONS, ON OBTENAIT
TOUJOURS DE LUI LA MÊME RÉPONSE. LORSQU'IL A QUITTÉ
LA SALLE, NOUS NOUS SOMMES REGARDÉS D'UN AIR
AMUSÉ, ET J'AI FAIT LA REMARQUE SUIVANTE : « AU MOINS
CE JEUNE RUSSE SAIT CE QU'IL VEUT ET CE DONT IL EST
CAPABLE. » BIEN SÛR, LE PROBLÈME DE LA LANGUE,
MALGRÉ LA TRADUCTION, AJOUTAIT AU STRESS QUE VIVAIT
PEUT-ÊTRE CE JEUNE HOMME. IL N'EN RESTE PAS MOINS
QU'IL FAISAIT PREUVE DE DÉTERMINATION ET DE
BEAUCOUP D'AUTONOMIE. IL CONNAISSAIT SA VALEUR ET
SES FORCES, MAIS AVEC CE MANQUE DE NUANCES QU'ONT
PARFOIS LES JEUNES.

Cette histoire me fait penser à une discussion que j'ai eue avec Pierre Larouche, ancien joueur de la Ligue nationale de hockey, et maintenant aux relations publiques pour les Penguins de Pittsburgh. Pierre était reconnu comme un très bon marqueur. Il a fait un séjour formidable dans la Ligue de hockey junior majeur du Québec où, à sa deuxième saison, il a totalisé 251 points, un record pour la LHJMQ qui fut battu par nul autre que Mario Lemieux en 1983-1984. Il devint joueur professionnel avec les Penguins, et il fut le premier joueur de

---

5. « Moi, je compte des buts ! »

cette équipe à dépasser la barre symbolique des 100 points dès sa deuxième saison. Quelques années plus tard, il était échangé aux Canadiens de Montréal, avec lesquels il a gagné deux coupes Stanley. Tout ceci pour dire que Pierre Larouche était un attaquant extraordinaire, et un redoutable marqueur de buts.

Son entraîneur lui a demandé un jour d'effectuer davantage de replis défensifs, et de revenir plus profondément dans sa zone pour aider ses défenseurs. Ce que Pierre a fait. Au bout de quatre ou cinq rencontres, l'entraîneur demande à le rencontrer dans son bureau. Il lui fait part de son inquiétude, et lui mentionne que sa fiche offensive est en chute libre depuis quelques parties. Que se passe-t-il ? Pierre lui a répondu ceci : « Je suis bon, mais pas encore assez pour marquer des buts en étant dans notre zone défensive ! »

Lorsque Pierre m'a raconté cette anecdote, nous avons bien ri, car elle démontre qu'il avait le profil d'un marqueur de buts, qu'il était sûr de lui et qu'il avait une attitude positive. Il le fallait d'ailleurs, pour être capable de répondre de cette façon à son entraîneur. Il avait surtout cette facilité d'agir en se sentant indépendant. Voilà le signe d'une grande autonomie qui a certainement contribué aux réussites qu'il a connues tout au long de sa carrière.

Ce que vous devez retenir de ces deux exemples-là est de découvrir où vous êtes excellent, et être excellent ce n'est pas seulement être bon. Quand on est juste bon, on est un peu en haut de la moyenne et c'est tout, et ce n'est pas sur ce plan qu'on se démarque. On se distingue quand on devient excellent. Et pour accéder à l'excellence, il ne faut pas se contenter d'être seulement bon, il faut savoir quelle est notre plus grande force, celle qui fait de nous quelqu'un d'unique, et pour y parvenir, il faut nécessairement bien se connaître.

Nous devons travailler sur nos faiblesses, mais il ne faut jamais oublier notre plus grande force, et focaliser notre attention sur elle. Oui, c'est elle qui fera de nous un être exceptionnel qui se démarquera, et qui nous permettra d'accéder aux ligues professionnelles.

11

Le secret consiste à être proactif

Tout le monde a lu ou du moins entendu parler du livre *Le Secret*, de Rhonda Byrne, publié aux éditions Un monde différent. Il est un peu dans la même veine que celui écrit par Pierre Morency, *Demandez et vous recevrez*. Ce sont des livres qui nous enseignent l'art de demander à l'univers ce que nous désirons. J'ai aimé ces deux bouquins, mais à mon avis il ne faut pas croire que le seul fait de demander quelque chose à l'univers vous apportera votre souhait, comme par magie, sur un plateau d'argent.

Selon moi, il faut être également proactif par la pensée et par l'action. Il ne suffit pas de vouloir, il faut agir et prendre des décisions. Depuis toujours, les gens qui ont réussi et qui sont heureux ont suivi ce modèle, car vivre consiste à agir et à décider.

Le profil de notre vie se dessine chaque fois que l'on prend une décision, puisque notre parcours fonctionne

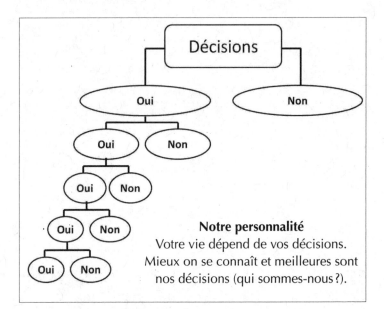

Notre personnalité
Votre vie dépend de vos décisions.
Mieux on se connaît et meilleures sont
nos décisions (qui sommes-nous ?).

un peu comme un ordinateur : de façon binaire. À chaque décision, j'ai le choix entre oui ou non, entre le 1 ou le 0, une direction ou l'autre. À partir d'une porte que je décide d'ouvrir, deux autres possibilités s'offrent à moi ; elles présentent chacune, elles aussi, un oui ou un non, comme dans le tableau qui précède.

« Une décision n'est bonne que lorsqu'elle est prise. »

– AUTEUR INCONNU

Nous ne sommes pas sur terre pour vivre avec des attentes à l'égard des autres. Afin de rendre nos contributions uniques au monde, nous devons faire concourir notre valeur individuelle à la poursuite de nos rêves.

Commençons par «la pulsion intérieure», qui met l'accent sur les questions de motivation qui sont essentielles à la réussite sportive. Pourquoi les athlètes travaillent-ils si dur pendant si longtemps pour atteindre des objectifs souvent lointains? Qu'est-ce qui se passe quand un athlète s'effondre ou semble épuisé? Que peut-on faire pour garder les séances d'entraînement intéressantes et motivantes? Qu'arrive-t-il à un athlète qui s'entraîne de plus en plus, mais dont les performances deviennent de moins en moins bonnes? En fait, la réponse se trouve dans la tête.

L'histoire de Guy Lafleur se résume à : prendre des risques, passer à l'action, être proactif. J'ai eu la chance de jouer avec les anciens Canadiens de Montréal à quelques reprises. Lors d'une partie amicale pour amasser des fonds pour une bonne œuvre, j'étais sur le même trio que Guy Lafleur. J'en étais évidemment très heureux.

Ce soir-là, j'ai reçu la rondelle et je me suis élancé vers le filet, et j'ai vu soudain Guy de l'autre côté, mais au lieu de lui faire une passe, j'ai décidé de lancer au filet sans compter. En revenant au banc, je me suis excusé à Guy de ne pas lui avoir fait une passe. Il m'a répondu : «Ne t'excuse pas, on ne s'excuse jamais d'avoir tiré au filet, car chaque fois qu'on ne tire pas au filet, c'est une occasion manquée!» Pour lui, le fait de tirer au filet signifie être proactif, et avoir la chance de produire un but. Il est impossible de marquer si on ne tire pas vers le filet.

●

Bruno Gervais est un défenseur du Lightning de Tampa Bay, mais il a commencé sa carrière avec les Islanders de New York. Je l'ai rencontré à cette époque et il m'avait avoué être très malheureux parce qu'il n'avait pas assez de temps de glace. Puis, je lui ai dit : « Écoute, Bruno, demande-toi ce que tu peux faire de mieux, plutôt que de te concentrer sur ce qui va mal. »

À partir de là, nous nous sommes rencontrés à quelques reprises. Il me téléphonait parfois avant un match et je lui disais : « Prépare-toi tout de suite. Demande-toi ce que tu veux faire aujourd'hui. Concentre-toi sur deux ou trois choses précises. Si tu réussis, si tu fais du mieux que tu peux, tu verras que les choses vont s'améliorer parce que c'est dans ta tête que ça se passe ! Une fois que tu seras convaincu, dans ta tête, que tu peux le faire, ça va arriver. »

C'est ce que Bruno s'est mis à faire. Chaque fois, c'était une petite victoire qui le rapprochait de ce qu'il voulait atteindre. Et le succès est venu. Il a développé son potentiel pour devenir le type de joueur qu'il pouvait être. C'est pour cela que le Lightning est venu le chercher en 2011-2012. Il avait besoin d'un joueur comme lui.

Il faut donc commencer à *imaginer* ce que l'on est, et ce que l'on veut devenir, si on veut y arriver. Il faut se voir dans l'action. Cela fait partie de la visualisation. Et plus notre visualisation semble réelle, plus il y a de chances que cela arrive. Et un des rêves de Bruno et de Maxime Talbot était de jouer un jour ensemble dans la Ligue nationale. Eh bien, leur rêve se réalise enfin, puisque Bruno se retrouve maintenant avec les Flyers de Philadelphie, rejoignant ainsi son ami Maxime Talbot.

●

LE RÔLE DU GARDIEN DE BUT N'EST PAS FACILE. IL NE PEUT SE REPRENDRE. IL N'Y A PERSONNE DERRIÈRE LUI POUR RÉPARER SES ERREURS. DE LÀ, LA PRESSION QU'IL SUBIT.

JE ME SOUVIENS D'UN JEUNE GARDIEN DE BUT QUI ME DISAIT MANQUER DE CONFIANCE EN LUI, CAR ON NE LE FAISAIT PAS BEAUCOUP JOUER. JE LUI AI FAIT PASSER TOUS LES TESTS DE PERSONNALITÉ, ET IL A ÉTABLI UNE LISTE D'OBJECTIFS QUE NOUS AVONS EXAMINÉS AVEC SOIN. FINALEMENT, NOUS NOUS SOMMES RENDU COMPTE QUE C'EST LA PEUR QUI S'EMPARAIT DE LUI ET LE FREINAIT. CONCRÈTEMENT, CELA SIGNIFIAIT QUE LORSQU'IL ÉTAIT SUR LA GLACE, IL NE BOUGEAIT PRESQUE PAS DEVANT SON FILET. IL AVAIT TELLEMENT PEUR DE COMMETTRE DES ERREURS QU'IL DEVENAIT PASSIF.

UN GARDIEN DE BUT, COMME UN JOUEUR OFFENSIF D'AILLEURS, QUI RESTE PASSIF EN PLEINE ACTION, NE FERA RIEN D'EXTRAORDINAIRE. JE LUI AI SUGGÉRÉ D'ÊTRE PLUS VIF ET AGRESSIF DEVANT LE FILET. JE LUI AI EXPLIQUÉ QUE, MÊME S'IL N'EST PAS TOUJOURS SUR LA GLACE, IL DOIT ÊTRE PRÊT À TOUT MOMENT, CAR ON PEUT LUI DEMANDER DE GARDER LES BUTS. LE FAIT DE NE PAS JOUER TOUTES LES PARTIES NE VEUT PAS DIRE QU'IL EST MAUVAIS. CELA FAIT PLUTÔT PARTIE DES INCONVÉNIENTS LIÉS AU RÔLE DU GARDIEN. IL FAUT SAISIR LA CHANCE LORSQU'ELLE NOUS EST OFFERTE, ET S'AMUSER.

UNE DES GRANDES CONTRIBUTIONS DE LA PSYCHOLOGIE DU SPORT DES 20 DERNIÈRES ANNÉES A ÉTÉ DE COMPRENDRE LA FAÇON DONT LES PENSÉES ET LES ÉMOTIONS RÉGISSENT LES COMPORTEMENTS DES SPORTIFS. TOUS LES ATHLÈTES SAVENT QUE LE SUCCÈS DANS LES SPORTS N'EST PAS UNE ENTREPRISE SOLITAIRE. UN BON ENCADREMENT, UN LEADERSHIP INSPIRANT ET UN TRAVAIL D'ÉQUIPE SONT ESSENTIELS POUR ATTEINDRE LA VICTOIRE DANS TOUS LES SPORTS.

Les entraîneurs et les athlètes ont toujours compris l'importance du mental dans le sport. Des écrits sur ce sujet remontent aussi loin qu'à la Grèce antique, où les célébrations sportives faisaient partie de l'expérience communautaire.

Le psychanalyste Sigmund Freud a fait valoir que la motivation était un produit du subconscient, du sexe et de l'agressivité. Notre comportement, a-t-il dit, est en grande partie façonné par nos instincts. Clark L. Hull, un influent psychologue américain, explique, dans sa théorie des pulsions, que la motivation dépend de nos besoins physiologiques de base tels que la faim, la soif et la fatigue.

De son côté, le comportementaliste Burrhus F. Skinner ne croyait pas au subconscient. Pour expliquer la motivation, Skinner parlait de «stimulus et réponse», affirmant que tout comportement est contrôlé par des renforcements extérieurs. *Nous sommes essentiellement une boîte noire*, disait M. Skinner. Ce qui se passe à l'intérieur détermine ce qui en sort.

Bien que leurs théories soient radicalement différentes, ces psychologues sont d'accord sur une chose : la motivation ne dépend pas uniquement de l'individu. Ils croyaient que l'homme est, pour l'essentiel, le produit de la génétique ou de l'environnement. Qu'est-ce qui est inné et acquis ? C'est un débat qui se poursuit encore aujourd'hui. Notre comportement est-il dicté par notre biologie ou est-il le produit de ce que nos expériences nous ont appris ?

Selon moi, la réponse la plus simple et la plus logique est : les deux. La théorie des pulsions, aussi appelée « théorie de l'instinct », explique qu'un joueur de hockey a tendance à riposter lors d'une mise en échec, l'agressivité étant une impulsion innée de l'homme. Les recruteurs et les dépisteurs ont tendance à s'appuyer fortement sur la théorie des pulsions.

Le psychologue et philosophe William James défend l'idée que les humains ont le contrôle de leurs actes. Nous sommes libres de penser ce que nous voulons penser, a-t-il insisté. Quelles que soient les influences que l'on subit, nous pouvons choisir nos actions. Nous en sommes donc responsables. En psychologie du sport, la tendance actuelle est d'examiner le rendement en se basant sur les pensées conscientes et contrôlables ; la motivation est une décision qui appartient à l'athlète.

L'ESTIME DE SOI

Il est beaucoup plus facile de blâmer les autres que de dire : « c'est moi qui ai ce problème » ou « c'est moi qui dois changer ». Celui qui a l'habitude de se plaindre et de blâmer les autres ne se sent pas souvent à la hauteur des attentes, et s'efforce de se donner de l'importance en rabaissant son entourage.

Il critique parce qu'il n'accepte pas son système de valeurs, ou ne s'y conforme pas. Il compense son sentiment d'incapacité en se donnant raison, et en leur donnant tort. Quand on critique les gestes des autres, on dit en fait : « Je déteste ce défaut chez moi, alors je ne leur permettrai pas de s'en tirer impunément.» Tout compte fait, les autres sont notre miroir.

Bien des gens ont un énorme besoin d'attention et d'approbation. Ils sont incapables d'apprécier leur propre valeur, leurs talents et leur importance en tant qu'individu. Ils ont absolument besoin qu'on leur confirme sans arrêt qu'ils sont «très bien» ou «très bons», qu'on les accepte, qu'on les aime et qu'on les approuve.

J'ai parlé précédemment de la façon dont un entraîneur pouvait, grâce à sa seule attitude, avoir une influence profonde sur les jeunes. Vous vous rappellerez longtemps ce regard vers le ciel après une mauvaise présence sur la glace. Par contre, vous vous souviendrez également longtemps de ce sourire ou du témoignage de confiance quand il vous lance dans l'action à un moment crucial de la partie. L'attitude, les gestes et les paroles doivent contribuer à augmenter notre estime de soi.

Les gens qui ont une faible estime d'eux-mêmes n'ont généralement pas beaucoup d'amis proches. En raison de leur manque d'amour-propre, ils sont souvent solitaires. Il faut être capable de s'aimer soi-même pour pouvoir aimer les autres.

Les gens qui mangent trop, consomment des drogues, boivent ou fument pour satisfaire leurs besoins et diminuer leur douleur émotive ont des comportements qui les amènent à avoir une mauvaise estime d'eux-mêmes. Ces excès leur font oublier, pour un instant, un sentiment de rejet, mais les conséquences de ces excès les entraînent dans le cercle vicieux de la dépendance.

Ils sont déprimés parce qu'ils pensent qu'un facteur extérieur les empêche d'obtenir ce qu'ils désirent. Ils ont le sentiment d'avoir perdu le contrôle, et ils se sentent impuissants et indignes.

Craindre de façon anormale de faire des erreurs mène à un manque d'estime de soi. Souvent, une personne a de la difficulté à prendre des décisions, elle remet tout à plus tard, et elle finit par ne plus rien faire. De cette façon, elle ne fait aucune erreur.

Il existe un autre type d'individu qui entre dans la catégorie des gens qui ont de la difficulté avec les autres et eux-mêmes: le perfectionniste. Il a un besoin vital d'être ou de sembler parfait. Il vise des objectifs irréalistes, et il a tendance à juger son entourage comme étant des incapables. Toutefois, avoir des normes élevées ne fait pas de vous des perfectionnistes. Vouloir exceller dans un domaine est une chose saine. C'est quand vous voulez absolument être parfait que se développe une forme de stress d'où découle une grande détresse. Il existe plusieurs niveaux de perfectionnisme, mais selon les chercheurs, aucun n'est complètement sans problème.

Quand on manque d'estime de soi, on laisse trop souvent les gens nous blesser et nous critiquer parce que nous sommes dépendants d'eux, et qu'en conséquence, nous recherchons leur attention et leur sympathie par tous les moyens. C'est infiniment triste vu qu'il y a des gens qui se suicident pour échapper à ce cercle vicieux. Ils tentent d'échapper à eux-mêmes, mais aussi au rejet et au mépris qu'ils ressentent. Ce sont des comportements extrêmes et souvent maladifs. Toutefois, une chose est vraie : on peut décider de tout quitter et d'aller au bout du monde, mais on se retrouvera toujours par rapport à soi-même. Par conséquent, la réponse est en nous-mêmes.

LA CONFIANCE EN SOI

Le manque de confiance en soi est sûrement l'un des problèmes les plus sérieux de notre société, et pourtant ce n'est qu'un problème de prise de conscience. Dès que vous comprenez qui vous êtes vraiment, vous êtes en mesure de savoir pourquoi vous êtes ainsi et, surtout, vous pouvez apprendre à vous accepter et à vous aimer.

« Crois en tes rêves, ils se réaliseront peut-être.
Crois en toi et ils se réaliseront sûrement. »

Pour être pleinement heureux, on se doit d'être conscient de l'intensité avec laquelle nous percevons et comprenons, consciemment et inconsciemment, toutes les sphères de notre vie.

Chaque décision que vous prenez et chaque geste que vous effectuez sont basés sur vos croyances, qu'elles soient vraies ou fausses. Il est impératif de comprendre que vous ne serez heureux et en paix avec vous-même qu'à la condition d'accepter la réalité du cadre de vie dans lequel vous évoluez actuellement. La confiance est une autre clé d'une attitude gagnante. C'est la façon dont nous nous voyons. Une personne confiante croit qu'elle peut faire et réussir le travail.

Lors de l'émission *L'Entracte*, j'ai eu la chance de rencontrer Pascal Vincent, un jeune homme qui m'a vraiment impressionné comme entraîneur.

Pascal est le type d'entraîneur qui ne laisse rien au hasard. Il cherche à acquérir toutes les informations requises et cherche toujours à s'améliorer. Ce que j'ai remarqué chez lui, c'est qu'il est doté de la mentalité nécessaire pour amener les jeunes à se développer et à bien évoluer. C'est quelqu'un avec qui on se sent à l'aise. Pour entraîner une équipe, il faut savoir à qui l'on a affaire. C'est justement le travail d'un entraîneur de découvrir les forces et les faiblesses de chacun, et d'exploiter les forces des joueurs pour que tous soient bien dans le rôle qu'ils doivent jouer. À n'en pas douter, Pascal Vincent réussit en ce sens avec brio.

Chacun doit apprendre à se connaître, à se livrer à une introspection profonde pour pouvoir profiter pleinement de sa vie, pour prendre les bonnes décisions et être heureux. Lors de l'entrevue entre Pascal et moi, nous en sommes venus à parler de la confiance en soi. Il faut dire qu'il a une solide formation en psychologie et comprend bien l'importance de la confiance en soi pour un joueur de hockey.

Nous avons discuté du fait que l'entraîneur doit s'assurer que chacun de ses joueurs a la chance de développer sa confiance en soi. Et pour y arriver, un entraîneur doit poser beaucoup de questions et être à l'écoute de ses joueurs. Une seule petite parole d'encouragement peut souvent faire toute la différence.

Comme entraîneur, n'oubliez jamais que vos joueurs vous regardent souvent avec beaucoup

D'ADMIRATION, ET QUE POUR EUX, CE QUE VOUS DITES EST
EXTRÊMEMENT IMPORTANT. SOYEZ CONSCIENT QUE VOS
MOTS PEUVENT LES INCITER À PASSER À L'ACTION, LES
ENCOURAGER, LES BLESSER OU LES GUÉRIR.

L'IMAGERIE MENTALE OU LA VISUALISATION

Voilà l'une des plus importantes et des plus méconnues parmi les habiletés de l'esprit qui peuvent vous aider à remporter la victoire. La visualisation peut parfois sembler si réelle, même quand nous la maîtrisons un peu, car grâce à elle on parvient à réussir des choses qu'on ne croyait pas pouvoir faire. Voilà pourquoi on l'a souvent considérée comme magique et mystérieuse ; mais croyez-moi, lorsqu'on l'exerce judicieusement, c'est une excellente façon de s'améliorer et de demeurer positif.

Étant donné que l'imagerie est un type tout particulier de processus mental, les spécialistes en psychologie du sport l'ont étudiée pendant de nombreuses années. Ils en ont relevé certains aspects importants que je vous invite à revoir avec moi.

Comme le mot le laisse entendre, quand nous pensons à l'imagerie mentale, nous parlons d'une image que nous voyons dans notre esprit. Pour y parvenir, nous pouvons utiliser nos cinq sens en imaginant comment peuvent se dérouler les événements, mais nous pouvons aussi les ressentir, les goûter, les entendre, et même sentir leur odeur. Les spécialistes en psychologie du sport parlent donc de l'imagerie visuelle, l'imagerie auditive, l'imagerie tactile et l'imagerie olfactive.

La kinesthésie ou l'aspect kinesthésique (qui concerne la perception de mouvement des parties du corps par la sensibilité profonde des muscles) est l'imagerie utilisée par la plupart des athlètes. C'est ce que nous appelons le sentiment d'imaginer le mouvement du corps, comme quand un golfeur anticipe la façon dont son corps va sentir frapper un coup droit parfait, avant même de s'avancer vers la balle.

Les progrès de la neuroscience cognitive nous aident à comprendre comment un athlète peut visualiser certaines situations afin d'acquérir de nouvelles compétences, pour ensuite s'en servir dans une situation réelle.

La visualisation produit également des changements dans les émotions qui peuvent influer sur les performances.

Si la visualisation est utilisée pour augmenter l'excitation avant l'exécution, la théorie et la recherche suggèrent quelle comprend des repères kinesthésiques et des images d'excitation physiologique. La fréquence cardiaque, par exemple, augmente au cours de la visualisation de scènes sportives ou lorsque les instructions contiennent des expressions telles que : «vous sentez que votre cœur commence à battre» ou «vous sentez des papillons dans l'estomac».

Les athlètes doivent cependant faire attention à ne pas devenir surexcités. Par exemple, ce serait dommage que des images qui les fâchent augmentent leur excitation et contribuent à les distraire, alors qu'ils doivent se concentrer sur les aspects cruciaux d'une difficulté.

La visualisation peut être un moyen utile de se préparer à des situations sportives stressantes. Les athlètes qui imaginent comment ils se sentiraient dans un cas précis, et qui se sentent anxieux et stressés par la visualisation, vivent une expérience qui, dans la réalité, est susceptible d'être elle-même stressante.

La visualisation donne à l'athlète l'occasion de répéter mentalement des stratégies efficaces d'adaptation, comme la respiration profonde, la relaxation musculaire ou l'auto-persuasion positive, changeant ainsi l'orientation de la concentration. Pour gérer les situations stressantes, la préparation lui permet d'aborder la situation réelle avec plus de confiance et il se sent moins anxieux durant l'événement.

Les athlètes blessés peuvent aussi utiliser la visualisation pour maintenir leurs compétences, leur motivation et leur attention en action, et favoriser ainsi leur guérison au cours de la période de réadaptation. En plus de renforcer les modèles de compétences cognitives, la visualisation peut augmenter la motivation de l'athlète. La motivation accrue lui est profitable si elle conduit à une meilleure adhésion et à plus d'efforts dans le programme de réadaptation.

L'un des domaines les moins étudiés dans l'utilisation des images a trait à l'établissement du travail d'équipe. Plusieurs entraîneurs ont recours à l'imagerie mentale pour faire des exercices pratiques plus intéressants et répéter les objectifs de l'équipe.

Compte tenu du fait que l'imagerie est si personnelle, elle est difficile à utiliser dans les paramètres de groupe. Cependant, elle peut être efficace avec une communication appropriée et de la rétroaction. Pour pratiquer la visualisation, vous pouvez trouver des exercices sur le site interactif sylvainguimond.com.

« Ce n'est pas ce qui arrive qui est important,
mais la façon dont tu réagis. »

– AUTEUR INCONNU

12

Utilisez votre potentiel pour obtenir du succès

« Seuls ceux qui sont assez fous pour croire
qu'ils peuvent changer le monde y parviennent. »

– STEVE JOBS

Pour réussir au hockey, comme dans tous les sports, il faut avoir le désir et l'envie d'être le meilleur joueur, d'aller au bout de son potentiel, et être prêt à travailler dur pour développer des habiletés physiques et mentales. Vous devez être apte à maîtriser vos émotions et vos pensées, et apprendre à vous « énergiser » aussi bien qu'à garder votre sang-froid. Il importe également de travailler dur en demeurant concentré et d'éviter de se laisser distraire ou engloutir par la pression, la peur, la colère et la négativité. Pour connaître le succès, il faut être déterminé et engagé à faire ce qui est nécessaire pour améliorer votre jeu et jouer en équipe au mieux de vos capacités.

Être fort mentalement, c'est avoir la force et la résilience pour surmonter les chocs, les contusions, les frustrations, la fatigue, les hauts et les bas de la longue saison. Et sachez que tout cela peut être grandement amélioré grâce à un entraînement approprié.

Apprendre à se préparer mentalement, à anticiper, à jouer le jeu dans votre tête (visualisation), voilà des éléments importants pour aller chercher ce petit avantage qui fait la différence pour arriver à toujours bien réagir dans le match.

Chose certaine, il faut impérativement avoir un but et surtout être conscient de son immense potentiel. Un potentiel que nous possédons tous. La différence réside souvent dans le simple fait d'en être convaincu.

Comme joueur de hockey et passionné de ce sport, il est clair que vous voulez être un bon joueur. Il faut alors préciser vos attentes. Quel niveau voulez-vous atteindre ? Déterminez-le. Voulez-vous être assez bon, bon ou très bon ? Le meilleur dans votre domaine ? Le meilleur au monde ? Voulez-vous aller au bout de votre potentiel et de vous-même ?

Bien entendu, le talent aide, mais il ne représente pas la seule réponse. Il faut aussi savoir ce que l'on veut et avoir de l'ambition. C'est ainsi qu'on va plus loin. Peu de gens sont prêts à faire les sacrifices nécessaires pour arriver au sommet. Le seul moyen d'apprendre, c'est par l'expérience, les erreurs et les réussites.

En premier lieu, vous devez vous fixer un objectif qui dépasse vos capacités. Vous devez apprendre à ignorer vos limites. Peu importent vos rêves d'avenir, vous devez en faire une réalité. Car rien n'est impossible. Décidez d'être le meilleur marqueur de votre équipe, ou le patineur le plus rapide, ou le défenseur le plus difficile à déjouer de la ligue. Il faut savoir viser haut, car votre objectif ultime est encore plus ambitieux, si vous souhaitez être repêché par une équipe de la Ligue nationale.

Il y a fort à parier que probablement tous les joueurs de votre niveau ont du talent. Mais certains d'entre eux s'y fient exclusivement pour avancer. Ils sont là grâce à leurs aptitudes naturelles, ce qui ne représente ni plus ni moins que le « passé ». Si vous avez également du talent et que vous avez surtout envie de réussir, vous devez compter alors sur l'avenir. Or, les premiers se feront toujours battre par les seconds qui cherchent continuellement à se surpasser pour atteindre leurs buts.

Dès que vous avez un objectif, toutes les réussites sont possibles. Imaginez-vous dans une foule, disons au centre commercial. Il y a énormément de monde et tout le monde bouge lentement en regardant autour. Ils courent les magasins, mais ne savent pas exactement ce qu'ils cherchent. Si vous entrez dans ce centre en sachant ce que vous voulez et aussi où le trouver, vous avez une longueur d'avance sur les autres. Vous irez beaucoup plus vite parce que vous avez un objectif clair et que vous savez ce qu'il faut faire pour l'atteindre.

Au lieu d'attendre des commentaires ou des éloges sur votre performance si vous estimez quelle n'est pas à la hauteur, demandez-vous ce qui cloche dans votre jeu. De quelle façon pouvez-vous l'améliorer ? C'est de cette façon que vous progresserez vers votre rêve. Si vous subissez un échec, il est important de ne pas blâmer les autres. C'est votre responsabilité, c'est votre projet, ce sont vos décisions; alors il faut assumer. Même si d'autres ont commis des erreurs, c'est à vous d'en accepter la responsabilité. Aucune excuse n'est valable. Vous êtes responsable de votre vie et de vos objectifs. Celui qui ne se trompe jamais a peu de chances de réussir.

« Chacune des 200 ampoules qui n'ont pas fonctionné m'a appris quelque chose dont j'ai pu tenir compte pour l'essai suivant. »

– THOMAS EDISON

Un autre élément à ne pas négliger, c'est l'action, la façon dont vous conduisez ce véhicule physique et mental qui vous a été prêté. Il faut le voir comme l'action générée immédiatement pour réussir.

C'est seulement dans la mesure où vous passez de la pensée d'un projet à l'action concrète que vous êtes dans l'« agir » et que vous vous acheminez efficacement vers votre objectif. *Le premier pas est le plus ardu*, dit un proverbe. C'est pourquoi vous devez consacrer toute votre énergie à le franchir.

« Le pire ce n'est pas d'avoir un échec,
c'est de ne pas avoir essayé. »

– BERTRAND PICCARD

Le dernier principe est le succès, qui est d'abord un état d'esprit et non une position dans la vie. C'est donc la satisfaction ultime dans un cycle complet d'expression de soi.

« L'avenir appartient à ceux qui croient
en la beauté de leurs rêves. »

– ELEANOR ROOSEVELT

J'ai rencontré Steve Bégin à quelques reprises dans ma vie et nous nous sommes rapidement liés d'amitié. J'avais (et j'ai toujours) un respect énorme pour lui. En fait, j'éprouve beaucoup de respect pour ce genre de personne et de joueur.

Les jeunes hockeyeurs regardent avidement leurs aînés qui réussissent dans la Ligue nationale. C'est important d'avoir plusieurs types de modèles, pas seulement ceux qui sont les plus talentueux, mais aussi ceux qui démontrent une forte personnalité et beaucoup de caractère. Je parle de joueurs comme Maxime Talbot, Ian Laperrière ou Steve Bégin, des joueurs qui sont déterminés et prêts à tout donner pour leur équipe. C'est dans la tête qu'ils sont spéciaux et inébranlables.

IL N'Y A RIEN DE PLUS IMPORTANT ET DE PLUS VALORISANT DANS LE SPORT QUE DE SE DONNER À 100 %. EN FAIT, JE NE CROIS PAS QU'ON PUISSE JOUER DANS UN SPORT AUSSI RAPIDE ET INTENSE QUE LE HOCKEY SANS SE DONNER AU MAXIMUM. IL FAUT ÊTRE PASSIONNÉ, BIEN SÛR, PARCE QUE LES JOUEURS PASSIONNÉS VEULENT BIEN RÉUSSIR ET PRENNENT LES MOYENS POUR Y PARVENIR. MAIS IL EN FAUT BIEN PLUS À CEUX QUI ONT PEUT-ÊTRE UN PEU MOINS DE TALENT. IL FAUT SAVOIR ALLER AU BOUT DE SON POTENTIEL. IL FAUT DU CŒUR, DE LA PERSÉVÉRANCE ET DU COURAGE. LE COURAGE D'ALLER AU-DELÀ DE SES LIMITES ET DE S'OUBLIER POUR LES AUTRES.

LE HOCKEY EST UN SPORT ROBUSTE ET MÊME TRÈS DUR À L'OCCASION. EN ANGLAIS, ON DIT « *HOCKEY TOUGHNESS* ». VOILÀ POURQUOI IL FAUT FAIRE PREUVE DE COURAGE. ALLER CHERCHER LA RONDELLE DANS LE COIN DE LA PATINOIRE, QUAND ON SAIT PARFAITEMENT QU'ON VA SE FAIRE METTRE EN ÉCHEC, ÇA PREND DU COURAGE, DE LA DÉTERMINATION.

OR, IL NE FAUT PAS MÉLANGER PEUR ET COURAGE. IL EST NORMAL D'AVOIR PEUR. LE VRAI COURAGE, C'EST DE CONTRÔLER CETTE PEUR ET D'ALLER QUAND MÊME LÀ OÙ IL FAUT ALLER. VOILÀ POURQUOI MARK MESSIER, UN VÉRITABLE GUERRIER ET ANCIEN JOUEUR DE HOCKEY, A DIT : « LA BRAVOURE CE N'EST PAS D'AVOIR PEUR, MAIS C'EST PLUTÔT NOTRE RÉACTION PAR RAPPORT À LA PEUR QUI COMPTE. »

« Il y a plus de courage que de talent
dans la plupart des réussites. »
– FÉLIX LECLERC

Voici une histoire qui démontre bien que la confiance en soi joue un rôle prépondérant en matière de réussite.

LORS DU RETOUR AU JEU DE MARIO LEMIEUX, AU DÉBUT DES ANNÉES 2000, NOUS AVIONS L'HABITUDE, MARIO ET MOI, DE PATINER ENSEMBLE DURANT LA SAISON MORTE. JE ME SOUVIENS TRÈS BIEN QUE, LORS D'UN EXERCICE OÙ NOUS PATINIONS VERS LE FILET, JE DEVAIS LUI REMETTRE LA RONDELLE POUR QU'IL LANCE AU FILET, CE QUI EST COMMUNÉMENT APPELÉ, DANS LE JARGON DU HOCKEY, UN *ONE TIMER*. LORSQUE JE LUI DONNAIS LA RONDELLE, IL NE REGARDAIT JAMAIS VERS LE FILET, IL LANÇAIT, ATTEIGNAIT SA CIBLE ET SE DIRIGEAIT IMMÉDIATEMENT VERS L'AUTRE CÔTÉ DE LA PATINOIRE POUR RECOMMENCER. IL AVAIT L'HABITUDE DE LANCER DANS LES QUATRE COINS DU FILET.

DE RETOUR AU BANC, JE LUI MENTIONNAI QU'IL ÉTAIT CHANCEUX (JE CROIS QUE J'AI PLUTÔT UTILISÉ L'EXPRESSION QUÉBÉCOISE « MARDEUX ! ») PUISQUE, LORS DE SES LANCERS, IL NE REGARDAIT JAMAIS LA CIBLE, ET POURTANT IL L'ATTEIGNAIT CHAQUE FOIS. IL M'A RÉPONDU : « POURQUOI JE REGARDERAIS LE FILET… ? À CE QUE JE SACHE, LE FILET NE BOUGE JAMAIS ! » J'AI ALORS COMPRIS POURQUOI C'ÉTAIT LUI MARIO LEMIEUX QUI EXCELLAIT, ET NON MOI. IL AVAIT UNE CONFIANCE AVEUGLE EN SES MOYENS, ET C'EST LE CAS DE LE DIRE !

Toutefois, c'est différent pour chacun. Cela signifie avant toute chose qu'il n'y a pas de méthode universelle qui s'adapte à tout le monde pour réussir. Deuxièmement, autant pour le joueur que pour l'entraîneur, si on veut développer les compétences individuelles ou les forces d'une équipe gagnante, il faut suivre un processus en deux étapes : c'est-à-dire évaluer et adapter.

Pour y arriver, il faut commencer par être de plus en plus conscient de vos besoins et des circonstances (l'environnement et les situations de jeu) afin de vous évaluer. Demandez-vous : « *Qui suis-je ?* », ou dans le cas d'une équipe : « Qui sommes-nous ? », « Quelle est la situation ? » Le chemin pour s'améliorer passe par la prise de conscience de nos besoins, de nos forces et de nos faiblesses, et des circonstances durant lesquelles tout cela se produit. Après cette analyse rigoureuse, vous pourrez procéder aux changements appropriés. Ensuite, il faudra réévaluer la situation. Constatation, adaptation et évaluation, voilà les étapes à perfectionner.

Le succès arrive quand on parvient à apprendre à gérer notre esprit de manière efficace. Cela commence en établissant des objectifs clairs et ambitieux, en déterminant des tâches précises, en maintenant une orientation positive, en créant une énergie et des pensées à haute performance, et en utilisant des images de succès. Il faut éviter la négativité, la peur, la colère, le doute et la distraction pour plutôt créer des sentiments visant à devenir de plus en plus autonome et à entretenir une attitude positive et gagnante. Tous ces éléments sont des blocs qui servent à bâtir une bonne attitude et qui sont applicables autant sur le plan individuel que collectif.

Cette attitude devient une façon de penser qui vous prédispose à être encore plus gagnant, la clé de votre motivation personnelle. Et alors, presque tout est possible.

Une attitude gagnante, c'est d'être motivé. C'est travailler dur pour obtenir ce que vous voulez. La confiance en fait d'ailleurs partie. Il en va de même de la fierté, de la force mentale, de la patience et de l'estime de soi.

Le succès commence par la motivation. La motivation nous pousse à l'action. C'est une question de désir et d'engagement, et ce sont les objectifs eux-mêmes sur lesquels il faut travailler. Se fixer des objectifs précis indique la voie à suivre et contribue à augmenter l'accessibilité au succès. De plus, l'amour de soi et l'audace sont des antidotes à la peur.

En résumé, pour avoir du succès, autant dans le sport que dans la vie de tous les jours, vous devez vous fixer des objectifs, vous engager à les poursuivre, apprendre à vous connaître et à déterminer votre potentiel, tout en ayant confiance en vous et en cultivant votre passion du hockey.

Pour franchir ces étapes, vous aurez besoin d'énergie, de détermination, de leadership, de maîtrise émotionnelle, de confiance, de combativité positive, de responsabilité, de confiance en soi, de la force du mental (comme dans le film *Les Boys*, où l'expression employée est *la dureté du mental*), et vous devrez être « *coachable* ».

Quand on subit un échec, c'est souvent plus facile de se mettre en boule et de ne rien faire. Ce que j'appelle aussi faire l'autruche. Mais plus on se réfugie dans cette attitude, plus c'est difficile de rebondir et de s'en sortir. Par contre, quand on décide de se relever et d'essayer encore après avoir connu un échec, alors on se rend compte qu'on peut réussir. Et plus on essaie, plus ça devient facile. Ce qui est important, ce n'est pas de trébucher, c'est de se relever chaque fois que l'on tombe.

13

Les secrets
des performances des champions

J'ai eu la chance de travailler, au cours des années, avec de nombreux champions olympiques et paralympiques. J'ai vu des hommes et des femmes extraordinaires qui savaient aller au bout de leur potentiel et de leurs rêves. J'en ai tiré quelques leçons que j'aimerais partager avec vous.

Voici les 10 enseignements des athlètes olympiques :

1. N'ayez pas peur de rêver grand.

2. Ne vous laissez pas diriger par la peur des obstacles.

3. Quand vous voulez réaliser un objectif, axez votre attention sur les moyens de le réaliser.

4. Prenez le temps de vous renouveler à partir de vos valeurs profondes.

5. Développez des habitudes qui vous permettront de concrétiser vos rêves.

6. Dans votre esprit, associez les habitudes à développer aux valeurs qui vous inspirent.

7. Consacrez assez de temps à vous reposer et à refaire vos forces.

8. Votre destinée dépend de vos bonnes habitudes mentales et physiques.

9. Le plus important, ce n'est pas le but lui-même, mais le fait de grandir pendant le processus qui vous en rapproche et qui peut vous ouvrir à d'autres buts.

10. Quel que soit le résultat que vous obteniez, soyez satisfait et fier de vous tant que vous aurez fourni l'effort maximal et que vous aurez eu du plaisir.

« Entre l'égalité de tous sur la ligne de départ et les performances de chacun à l'arrivée, le travail fait de l'individu le seul responsable de son propre parcours. »

– CHRISTINE LAGARDE

Voilà donc une partie de leurs secrets. Or, quand un athlète, au hockey ou dans une autre discipline, parvient à se dépasser, à exploiter tout son potentiel et à enfin agir pour parvenir au succès, on dit qu'il « performe ». C'est à ce moment-là qu'il est le plus remarquable, qu'il fait les plus beaux jeux, qu'il semble dépasser tous les autres sur la glace. Il a réussi à trouver un équilibre parfait entre les exigences de la situation et le potentiel qu'il a développé. Cet état, souvent qualifié de « pilote automatique où on a l'impression de flotter sur un nuage », provoque un sentiment de réussite majeure, en rapport direct avec la réalité ; où chaque action est pertinente et où les erreurs sont presque inexistantes.

Lorsqu'ils *performent*, certains athlètes racontent qu'ils ont l'impression d'être dans un autre monde, de marcher à un mètre au-dessus du sol, comme s'ils flottaient, comme si tout devenait plus facile à accomplir.

Cet état dans lequel se trouve un athlète peut être contagieux et se propager à un groupe. C'est alors toute l'équipe qui agit à l'unisson. Les gestes sont plus précis, les erreurs presque absentes et les choix, tant techniques que tactiques, sont les meilleurs. Il se dégage alors un sentiment d'harmonie qui donne à l'équipe une impression d'invincibilité. Il en existe d'ailleurs de nombreux exemples.

Rappelons-nous simplement les prouesses de Patrick Roy qui a conduit son équipe à la conquête de la coupe Stanley en 1986. Ses performances et sa confiance en ses moyens ont transporté l'équipe. Chaque joueur se sentait plus grand, plus rapide, plus habile. Ils jouaient tous avec confiance non seulement en leurs moyens, mais avec la certitude que s'ils faisaient une erreur, Patrick la réparerait.

Réfléchissez à certaines de vos propres parties. Je suis certain que vous vous souvenez de tels moments, que vous vous rappelez qu'à telle ou telle occasion, les performances d'un seul joueur ont galvanisé l'équipe entière. Voilà le genre de contagion qui survient quand vous avez confiance en vous, et que vous savez que vous êtes capable – en somme, que vous êtes performant. Vous n'avez plus peur de réussir.

« Pourquoi y a-t-il si peu de champions ?
Parce qu'ils ont peur de l'échec.
Mais pourquoi ont-ils peur de l'échec ?
Parce qu'ils manquent d'estime de soi.
Mais pourquoi manquent-ils d'estime de soi ?
Parce qu'ils n'ont pas su relever les défis.
Mais pourquoi n'ont-ils pas su relever les défis ?
Parce qu'ils ont peur de l'échec. »

– SYLVAIN GUIMOND

14

La peur, l'angoisse et les soucis

« N'ayez pas peur de l'échec,
l'échec est un passage et non une finalité. »
– MENG KE

De quoi avez-vous donc peur ? De rater un lancer alors que vous êtes seul devant le filet ? D'avoir l'air ridicule en tentant un jeu inusité ? De ce que pensent vos camarades de votre jeu ? De ce que va demander l'entraîneur ? La plus grande peur des joueurs de hockey est la crainte d'échouer. Quand cette peur vous envahit, vous êtes inquiet, vous vous critiquez, vous craignez ce que les gens pensent et disent. Vous êtes dans une phase négative qui affecte vos performances sur la glace. Quand on a peur, on prend souvent de mauvaises décisions, les gestes deviennent moins fluides, les réactions moins rapides et souvent moins bonnes. Ça arrive tout autant sur la glace que dans la vie. La peur et l'angoisse empoisonnent trop souvent notre quotidien. Êtes-vous capable de vaincre vos peurs ? Vous pouvez tenter le coup !

Nous vivons à une cadence si déchaînée que nous avons peu de temps pour nous arrêter et réfléchir à ce que nous sommes. Et si nous nous accordions une pause juste pour nous? Prenons le temps de considérer certains comportements, quelques attitudes et émotions qui font partie de notre être. Tentons de mieux nous connaître et de voir ce qui nous empêche d'être au mieux de notre performance.

Tant de gens viennent me voir pour des maux de dos ou pour des problèmes de toutes sortes dont ils n'arrivent pas à comprendre la source. Plus j'acquiers de l'expérience dans mon métier, plus je vois se confirmer cette vérité fondamentale : pour la majeure partie de ces gens, le principal problème, c'est la peur.

Quel que soit votre degré de peur ou d'anxiété, arrêtez-vous maintenant et comprenez ceci : la première chose nécessaire pour vous en sortir, c'est de savoir que c'est vous-même qui causez votre peur et votre anxiété par les pensées que vous entretenez.

Il est bon de prendre un certain recul par rapport à ces sentiments pénibles. Pour cela, je vous propose quelques définitions de mon cru – quelque peu loufoques, j'en conviens –, qui donnent une nouvelle perspective au sens de ces mots.

LA PEUR

C'est une

Perception
Erronée et
Utopique de la
Réalité.

L'ANGOISSE

Elle constitue une

Anxiété
Négative et
Généralisée qui
Oppresse et
Inhibe le
Sentiment de
Sérénité et (d')
Équilibre.

LE SOUCI

Il correspond au

Sentiment pour
Obtenir un
Ulcère
Causé par une
Inquiétude.

Je tiens à insister sur le fait que ces émotions négatives sont le résultat de nos interprétations. Il existe en
langue anglaise une définition très juste de la peur. Il vaut
la peine de la reprendre ici. En anglais, la peur est désignée
par un mot de quatre lettres : « *FEAR* ».

La définition à laquelle je fais référence présente la
peur comme une

> *False*
> *Evidence that*
> *Appears*
> *Real.*

Autrement dit, la peur est une

> **F**ausse
> **É**vidence qui a toute
> **A**pparence de la
> **R**éalité.

Saviez-vous que, selon des recherches en psychologie, la grande majorité des événements qui causent nos
peurs n'arrivent jamais ? Ce sont des événements que
nous anticipons, telle une forme de visualisation négative
bien ancrée dans notre esprit, et qui nous font passer par
les émotions les plus pénibles, mais qui, en fin de compte,
pour la plupart, ne se produisent tout simplement jamais !
Et nous continuons à laisser nos peurs et nos anxiétés
nous ronger, comme si ces événements allaient vraiment
arriver.

La peur n'est pas mauvaise en soi. C'est un mécanisme de défense et de protection indispensable à notre survie. Quand la peur survient pour une bonne raison, elle engendre des réactions physiques immédiates qui nous permettent d'être plus vifs, de nous défendre ou de fuir plus efficacement. La peur devient un obstacle quand elle nous paralyse et handicape nos mouvements, nos réactions ou la valeur de nos décisions.

LORS DU TOURNAGE DE LA SÉRIE TÉLÉVISÉE *MONTRÉAL-QUÉBEC* SUR LES ONDES DE TVA, AVEC BOB HARTLEY, J'AI PU AVOIR UNE BONNE IDÉE DE LA FAÇON DONT SE PASSENT LES CHOSES DANS LA LNH, PARTICULIÈREMENT LA MANIÈRE DES ENTRAÎNEURS DE S'ADRESSER À LEURS JOUEURS.

BOB EST UN MOTIVATEUR-NÉ. UNE DE SES GRANDES QUALITÉS EST DE SAVOIR ÉTABLIR LES FORCES DES JOUEURS. IL EST CAPABLE DE RECONNAÎTRE RAPIDEMENT CE QUE LE JOUEUR A BESOIN D'ENTENDRE POUR *PERFORMER* AU MAXIMUM. C'EST VRAIMENT UNE FACETTE ESSENTIELLE DU RÔLE D'UN ENTRAÎNEUR.

UN JOUR QUE NOUS ÉTIONS À ANALYSER L'ENTRAÎNEMENT DE SON ÉQUIPE, IL M'A DIT: «SYLVAIN, REGARDE ADAM BOURQUE. JE SUIS CERTAIN QU'IL PEUT OFFRIR UNE MEILLEURE PERFORMANCE AU HOCKEY, AU FOND DE LUI. MAIS ON DIRAIT QU'IL A PEUR, QU'IL NE VEUT PAS PRENDRE SA PLACE. J'AIMERAIS QUE TU LE RENCONTRES ET QUE TU LUI PARLES POUR COMPRENDRE LA NATURE DE SON BLOCAGE. JE VEUX SAVOIR POURQUOI IL A CE MANQUE DE CONFIANCE. IL NE DEVRAIT PAS, CAR IL EST BIEN SUPÉRIEUR À CE QU'IL NOUS MONTRE EN CE MOMENT..., MAIS SA PEUR L'EMPÊCHE DE *PERFORMER*.»

J'AI DONC FAIT VENIR ADAM DANS MON BUREAU ET IL M'A PARLÉ DE CE QU'IL VIVAIT. IL M'A RACONTÉ QUE SON PÈRE EST DÉCÉDÉ LORSQU'IL AVAIT SEULEMENT

15 ANS, ET QU'ENSUITE IL S'EST RETROUVÉ DANS UN MONDE DE FEMMES, SANS MODÈLES MASCULINS, AUTANT À LA MAISON QU'À L'ÉCOLE.

« EN ARRIVANT COMME JOUEUR MIDGET, M'A-T-IL DIT, J'ÉTAIS IMPRESSIONNÉ PAR LES ENTRAÎNEURS. JE M'ÉCRASAIS ET JE PERDAIS TOUS MES MOYENS AUSSITÔT QU'ILS ME PARLAIENT AVEC AUTORITÉ OU QU'ILS ME FAISAIENT UNE CRITIQUE. C'ÉTAIT DES HOMMES ET J'AVAIS DE LA DIFFICULTÉ AVEC EUX PARCE QUE JE NE COMPRENAIS PAS COMMENT ILS FONCTIONNAIENT. IL N'Y AVAIT PAS D'HOMMES AUTOUR DE MOI AU COURS DE MON ADOLESCENCE. DONC J'AI EU DE LA DIFFICULTÉ À PRENDRE MA PLACE.

– QUEL ÂGE AS-TU ? » LUI AI-JE DEMANDÉ.

IL ME DIT :

– VINGT ET UN ANS !

– TU NE TROUVES PAS QU'À 21 ANS, CELA A DURÉ ASSEZ LONGTEMPS ? TU N'AS PLUS BESOIN D'AVOIR PEUR DES HOMMES, PARCE QUE TU EN ES UN MAINTENANT. CE QU'IL TE RESTE À FAIRE, C'EST DE PRENDRE TA PLACE. IL N'Y A JAMAIS PERSONNE QUI T'A DIT : "IL FAUT QUE TU NOUS CRAIGNES." C'EST UNE IDÉE QUE TU T'AS CRÉÉE DANS TA TÊTE, ET SEULEMENT LÀ ! ÇA N'A RIEN À VOIR AVEC LA RÉALITÉ. C'EST PAS PARCE QU'UN HOMME PARLE FORT ET AVEC UNE VOIX AUTORITAIRE QU'IL T'EN VEUT POUR AUTANT OU QU'IL NE T'AIME PAS. C'EST SOUVENT COMME ÇA QUE ÇA SE PASSE. C'EST TOUT. »

EN FAIT, IL ÉTAIT PRISONNIER D'UNE FAUSSE CROYANCE. IL N'AVAIT AUCUNE RAISON D'AVOIR PEUR, MAIS LA RAISON N'A SOUVENT RIEN À VOIR AVEC CE GENRE DE CRAINTES. NOUS AVONS CONTINUÉ À DISCUTER DE LUI, DE SON RÔLE, DU RÔLE DES HOMMES QUI L'ENTRAÎNENT AU HOCKEY, DE LA FAÇON DONT CHACUN TRAVAILLAIT. PUIS IL Y A EU UN SILENCE. IL A RÉFLÉCHI ET IL M'A DIT : « C'EST COMME SI TU AVAIS ENLEVÉ UN GROS POIDS DE MES ÉPAULES. »

PEU DE TEMPS APRÈS, SON JEU A CHANGÉ
CONSIDÉRABLEMENT. IL A DÉCIDÉ DE PRENDRE LA PLACE
QUI ÉTAIT LA SIENNE. SA RELATION AVEC BOB HARTLEY
S'EST AUSSI BEAUCOUP AMÉLIORÉE, CAR IL NE LE
PERCEVAIT PLUS DÉSORMAIS COMME UN ÊTRE INTIMIDANT.
COMME ON LE VOIT, IL NE S'AGISSAIT PAS DU TOUT D'UNE
QUESTION DE TALENT. IL ÉTAIT ANGOISSÉ À L'IDÉE DE
RECEVOIR UNE REMONTRANCE DE L'ENTRAÎNEUR,
SEULEMENT PARCE QUE C'ÉTAIT UN HOMME. UNE FOIS SES
« CROYANCES » REPLACÉES, IL POUVAIT REDEVENIR LE
JOUEUR QU'IL ÉTAIT CAPABLE D'ÊTRE.

En fait, l'être humain a souvent peur de ce qu'il ne connaît pas. Mais c'est en relevant des défis que l'on grandit en goûtant au bonheur. Or, les défis sont remplis de facteurs inconnus. Bien des gens aimeraient être plus heureux, mais ils ont peur de se lancer dans l'inconnu, de redéfinir leur vie, leurs priorités, leurs relations avec les autres. Tout en se plaignant du statu quo, de l'état actuel des choses, ils préfèrent finalement le maintenir, car ils ne font rien de concret pour changer leur situation, c'est-à-dire pour se transformer d'abord eux-mêmes.

Si vous désirez vraiment changer votre situation, examinez d'abord votre perception des choses. Rappelez-vous la *fausse évidence* qui a toute l'apparence de la réalité. La plupart du temps, c'est dans la tête que ça se passe !

« Il n'y a qu'une chose qui puisse rendre
un rêve impossible : c'est la peur d'échouer. »
– PAULO COELHO

On parle aussi souvent d'anxiété ou d'angoisse quand il est question de peur. La peur est, comme je l'ai dit, une émotion forte et généralement intense, ressentie en présence ou dans la perspective d'un danger C'est un peu le terme générique, car on peut aussi parler d'angoisse ou d'anxiété. L'anxiété est aussi une sensation normale que nous éprouvons par exemple lorsque nous sommes en attente d'un événement. Vous savez, ce tiraillement au creux de l'estomac alors que vous allez jouer le septième match de la finale de la ligue ? En soi, l'anxiété, comme le stress, n'est pas si grave. L'anxiété peut même aider à offrir une meilleure performance. C'est quand elle se répète de façon chronique ou qu'elle atteint un degré intolérable qu'elle devient problématique. On parle alors d'angoisse.

L'angoisse nous empêche souvent de penser de façon rationnelle. Si vous ressentez régulièrement une frayeur paralysante, il est possible que les conseils de ce livre ne soient pas suffisants. N'hésitez surtout pas à consulter un psychologue ou un psychiatre qui saura vous aider à établir et à reconstruire votre façon de penser.

Plusieurs de nos peurs nous sont transmises par nos parents et nos proches. Nous héritons, du moins en partie, de leurs propres craintes. Mais la bonne nouvelle, c'est que nous pouvons aussi nous en libérer.

« Seuls les cailloux ignorent la peur. »

– PASCALE ROZE

L'EXCELLENCE

L'excellence, dans n'importe quel sport, est le résultat de l'intégration réussie de facteurs physiques, techniques et mentaux. La façon dont vous gérez vos pensées et vos sentiments est à la base de vos performances. C'est à vous. Cela vous appartient. Pour améliorer votre jeu, tout commence par la prise de responsabilité de la gestion de votre esprit. Si vous n'aimez pas ce que vous regardez à la télévision, que cela ne vous amuse pas ou que vous ne vous sentez pas à l'aise, alors changez de chaîne! Si vous avez trop de stress, si vous êtes angoissé à la pensée de sauter sur la glace et de faire une erreur, il faut changer vos perceptions (vos pensées), et les résultats seront différents.

Les experts nous disent que nous avons de 50 000 à 60 000 pensées par jour. C'est beaucoup, ne trouvez-vous pas? Ce qui est inquiétant, c'est que pour la majorité des gens, plus de 80 % de ces pensées sont négatives. Les sentiments exercent une influence sur les pensées, comme les pensées influent sur les sentiments. Chaque fois que nous éprouvons un sentiment négatif, nous avons une pensée négative, et chaque fois que nous avons un senti-ment positif, nous avons une pensée positive. Or, la peur est généralement liée à une pensée négative.

Vous voyez donc dans ce tableau que tout ce qui entraîne des pensées ou des émotions négatives se traduit par de la peur, de l'angoisse, des soucis, des doutes ou du stress. Tout ça agit et diminue la confiance en soi. Prenons un exemple concret. Lorsqu'un joueur a si peur de faire

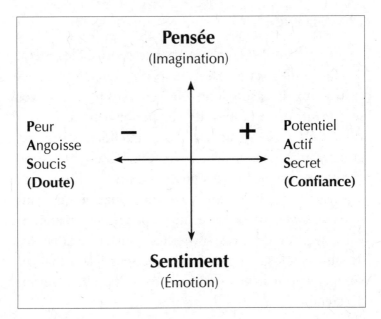

une erreur qu'il ne joue plus à la hauteur de ses capacités, il entre dans un cercle vicieux qui érode sa confiance en lui. C'est l'anxiété qui le domine et qui le paralyse. Il s'autocritique, se trouve mauvais et, fatalement, joue comme s'il était mauvais.

On voit régulièrement ce genre d'attitude dans les cas de léthargie, une situation que pratiquement tous les joueurs de hockey ont connue et connaîtront encore. Ils n'arrivent plus à produire comme ils le faisaient avant. Plus ça dure, plus les pensées négatives engendrent des sentiments négatifs, créant ainsi un véritable piège. Ils ne jouent pas à la hauteur des attentes, le doute s'installe, ce qui crée encore plus de doutes et de pensées négatives, et plus rien ne fonctionne.

Lorsqu'une telle situation arrive, il faut éviter d'être trop dur avec soi-même. Il faut se détendre et prendre l'ascendant sur ces pensées et ces émotions négatives. Il faut se dire que nous ferons mieux la prochaine fois et voir comment travailler sur certains aspects de notre jeu pour nous améliorer et, donc, pour être satisfait de nous et de notre travail. Tout cela commence par ce dialogue intérieur dont nous parlions précédemment. Parlez-vous positivement, cela aura immanquablement des effets importants sur votre attitude et sur vos performances.

L'ANXIÉTÉ

Trop d'anxiété, d'angoisse ou de soucis mettent à rude épreuve notre confiance. En effet, trop d'appréhension devant les événements créera une entrave sur le plan des efforts de préparation. Il en résultera des changements quant à la tension musculaire et un manque d'efficacité dans le processus de prise de décisions. Tout cela générera une augmentation de la perception des aspects négatifs, ce qui, au bout du compte, réduira le plaisir de jouer et la confiance en soi.

L'anxiété est présente dans les sports de compétition, mais n'a toutefois pas toujours un impact négatif. Une des conséquences positives de l'anxiété est une augmentation de l'effort et de la préparation. La peur de rater un examen, par exemple, est souvent une bonne source de motivation pour étudier. Donc, l'anxiété comporte une fonction de stimulation pour la préparation et la planification, ce qui rend la personne plus vigilante sur les situations à venir.

Je me souviens, il y a quelques années à Québec, lors d'une réunion de collecte de fonds, j'ai rencontré Alex Tanguay. D'ailleurs, il était l'un de mes joueurs préférés lorsqu'il jouait pour les Canadiens de Montréal. J'ai eu du mal à m'expliquer pourquoi on ne l'avait pas gardé. Il est vraiment un être fantastique et humain. Il est venu me parler et m'a dit : « Nous avons vécu des difficultés récemment, ma belle-mère est décédée du cancer. Juste avant cependant, elle avait lu ton livre et voulait absolument que je le lise également. C'est pourquoi elle me l'a offert. »

Alex et sa femme ont lu mon livre et ont voulu me faire part de ce partage. Lorsque je me suis rendu à Calgary par la suite, j'ai pris un repas avec Alex, sa femme et ses enfants, et je peux vous dire que lorsque les gens pensent que les joueurs de hockey ont un énorme ego, c'est faux. Dans le hockey, j'en connais très peu. Ils sont plutôt authentiques, ils jouent au hockey, comme ils jouaient dehors dans les ligues de garage, avec le désir d'avoir du plaisir. C'est ce que ça prend pour être au sommet de ce sport.

15

Les phénomènes associés au stress

« Ce qui est à l'origine du stress, ce n'est pas
la situation dans laquelle on se trouve,
mais ce sont les pensées négatives. »

– AUTEUR INCONNU

L e stress est le résultat de la perception cognitive qui fait que nous craignons de ne pas disposer des ressources nécessaires pour faire face aux exigences d'une situation précise. La définition de l'anxiété chevauche celle du stress. Ces deux termes sont très souvent utilisés comme synonymes, non seulement dans le vocabulaire populaire, mais aussi dans les textes de recherche.

Et pourtant le stress est indispensable à la performance, car s'il est bien géré, il devient l'ami du sportif et non son ennemi ! Le stress n'est, en soi, ni positif ni négatif. Il représente uniquement la perception qu'a le sujet d'une situation donnée. Le stress peut être défini comme une réaction physiologique, psychologique ou comportementale qu'adopte un individu pour faire face à un danger ou pour s'adapter à une situation. Un événement heureux le déclenchera au même titre qu'un événement malheureux. Le stress n'est donc pas uniquement associé à des épisodes négatifs.

Comme je viens de le mentionner, l'événement stressant n'est pas significatif comme tel. Cela dépend de la perception de celui qui le vit ainsi que de l'idée qu'il se fait de lui-même (ses ressources, ses capacités, ses expériences antérieures). Exemple : suis-je en mesure de gagner le match ou la compétition ? Cela présuppose de pouvoir évaluer ses aptitudes physiques, techniques, et psychologiques, mais aussi d'estimer comment on a agi dans les situations analogues antérieures, comment on juge de l'importance de la partie, du rôle que nous souhaitons y jouer, etc.

Voici quelques anecdotes par rapport au stress. En effet, jouer au hockey au niveau supérieur ou élite chez les jeunes comporte un degré de stress très élevé.

POUR LA PLUPART D'ENTRE VOUS QUI ÊTES DE JEUNES JOUEURS DE HOCKEY MIDGET OU BANTAM, VOUS JOUEZ TRÈS SOUVENT MAINTENANT PENDANT 12 MOIS PAR ANNÉE. IL Y A QUELQUES ANNÉES, ON DIVERSIFIAIT LES SPORTS, SI BIEN QUE L'ÉTÉ ON JOUAIT AU BASEBALL OU AU SOCCER, CE QUI N'EST PLUS LE CAS MALHEUREUSEMENT. JE DIS CELA, CAR JE SUIS PLUTÔT POUR LE FAIT QU'IL FAILLE DÉCROCHER UN PEU AFIN DE RÉCUPÉRER ET QUE LA PRATIQUE D'AUTRES SPORTS PERMET DE LE FAIRE. C'EST DOMMAGE, CAR S'ADONNER À PLUSIEURS ACTIVITÉS CONTRIBUE À DÉVELOPPER D'AUTRES FACETTES ET HABILETÉS PHYSIQUES ET PSYCHOLOGIQUES IMPORTANTES

POUR LE BIEN-ÊTRE DE L'INDIVIDU. ON EXERCE D'AUTRES MUSCLES, ON RECOURT À UNE AUTRE FORME DE COORDINATION, CE QUI NE PEUT QU'ÊTRE BÉNÉFIQUE LORS DU RETOUR AU JEU, AU HOCKEY.

LE STRESS EST D'AUTANT PLUS ÉLEVÉ SI LE JEU N'EST PRATIQUÉ QUE RAREMENT DANS LA VILLE OÙ RÉSIDE LE JOUEUR. S'IL PROGRESSE DANS LA LIGUE, IL LUI FAUDRA VOYAGER ET SOUVENT QUITTER LE FOYER FAMILIAL DÈS L'ÂGE DE 14-15 ANS, QUAND LES JEUNES SONT ENCORE EN PLEINE CROISSANCE ET QU'ILS ONT ENCORE BESOIN DE LEURS PARENTS. ILS VIVENT DONC UN STRESS ÉNORME.

LE STRESS EST ON NE PEUT PLUS PRÉSENT AUSSI DANS LES LIGUES NATIONALES. J'ÉTAIS AVEC DENIS GAUTHIER À PHOENIX, ASSIS DANS UN RESTAURANT JUSTE EN FACE DE L'ENDROIT OÙ LES COYOTES JOUENT AU HOCKEY ET OÙ DENIS A VÉCU DE MAGNIFIQUES SAISONS AVEC SHANE DOAN. DENIS ME DIT ALORS: «TU SAIS QUE J'AI QUITTÉ PHOENIX SANS JAMAIS AVOIR PU REVOIR MA MAISON, CAR J'ÉTAIS SUR LA ROUTE LORSQUE LES COYOTES M'ONT ÉCHANGÉ AUX FLYERS DE PHILADELPHIE. J'AI ANNONCÉ LA NOUVELLE À MA FEMME ET C'EST ELLE QUI S'EST OCCUPÉE DU DÉMÉNAGEMENT.»

QUAND JE LUI AI DEMANDÉ S'IL Y ÉTAIT RETOURNÉ DEPUIS, DENIS M'A RÉPONDU QU'IL S'Y ÉTAIT RENDU DANS LA JOURNÉE, MAIS SANS POUVOIR LA VISITER, CAR CE QUARTIER EST DEVENU MAINTENANT UN ENDROIT DES PLUS CONTRÔLÉS EN CE QUI A TRAIT AUX RÉSIDENTS, ET QUE, MÊME SI ON L'AVAIT RECONNU À LA GUÉRITE, ILS NE LUI ONT PAS PERMIS D'ENTRER, CAR LES RÈGLES SONT TRÈS STRICTES.

IMAGINEZ LE NIVEAU DE STRESS TRÈS ÉLEVÉ QU'IL A SUBI DE QUITTER SA MAISON SANS VRAIMENT Y REVENIR, ET SURTOUT DE LAISSER SA FEMME ORGANISER LEUR DÉPART SANS POUVOIR L'AIDER ET DE SE RETROUVER SEUL DANS DES CHAMBRES D'HÔTEL, JUSQU'À CE QUE SA FAMILLE VIENNE LE REJOINDRE.

ON PARLE ICI DE STRESS EXTÉRIEUR, MAIS IL Y A
AUSSI LE STRESS DE CHAQUE PARTIE, LORS DE MAUVAISES
SÉQUENCES ET QU'ON RISQUE QUE L'ENTRAÎNEUR NOUS
FASSE MOINS JOUER ; TOUT EN SACHANT TRÈS BIEN, DANS
LES ÉQUIPES ÉLITES, À QUEL POINT D'AUTRES JOUEURS
ATTENDENT DE FAIRE LEURS PREUVES POUR PRENDRE
NOTRE PLACE.

D'ACCORD, IL EST VRAI QUE SOUVENT LES CHOSES
SE REPLACENT, MAIS PRENEZ CONSCIENCE QUE VOUS
DEVEZ ÊTRE FORT. VEILLEZ À VOUS PROTÉGER ET À
TROUVER UN ENDROIT, AU TRÉFONDS DE VOUS, OÙ VOUS
SEREZ BIEN, PEU IMPORTE CE QUI VOUS ARRIVERA.

Oui, le stress dépend de l'événement, mais aussi et surtout de l'évaluation et de la perception que le sportif en fait et des ressources dont il dispose pour réussir à le réduire. On peut donc parler de *stress positif*, véritable moteur qui mène à une zone optimale de performance ; ou d'autre part, de *stress négatif* qui correspond plutôt à une diminution des performances et qui peut survenir quand il y a trop de stimulation ou qu'il en manque.

Il faut bien comprendre les mécanismes qui entourent le stress pour être en mesure de le déterminer et de le contrôler. Or, s'il est trop intense et que vous n'arrivez pas à le canaliser, le stress peut vous causer de gros problèmes. On parle ici de symptômes physiologiques précis dont les plus fréquents sont des palpitations (la fréquence cardiaque accélérée), de la transpiration, des tremblements ou secousses musculaires, de l'essoufflement, un sentiment d'étouffement, une douleur ou un malaise à la cage thoracique, de la nausée ou gêne abdominale, une sensation de vertige, des frissons ou bouffées de chaleur, une paresthésie (engourdissements ou des sensations de picotements), de l'agitation, une sensation d'être survolté ou sur le bord de l'être, une sensation de fatigue, un sommeil perturbé et des tensions musculaires.

16

Du plaisir à la souffrance

« Il n'y a point de plaisir qui n'ait sa douleur ! »
– JEAN-FRANÇOIS DUCIS

Oui, je sais que cela peut sembler étrange au premier coup d'œil. Comment peut-on allier plaisir et souffrance ? Eh non ! Je ne veux pas parler ici de masochisme, mais plutôt de ces immenses sacrifices et de ces efforts incroyables qu'il faut parfois, sinon toujours, accomplir pour atteindre son rêve.

En fait, dans la vie, on agit souvent pour atteindre le plaisir ou pour éviter la souffrance. Plusieurs de nos décisions se prennent d'ailleurs par rapport à ces deux sentiments.

Il faut donc trouver un équilibre acceptable entre les deux.

En général, il faut souffrir pour obtenir un certain plaisir. On n'obtient rien pour rien. Souvent, plus grand est un plaisir, plus grande sera la dose de souffrance qu'il aura demandé pour le satisfaire. Reprenons l'exemple de nos champions olympiques : il leur a fallu maintes et maintes heures d'entraînement, maints et maints sacrifices pour savourer enfin le plaisir de la victoire et la satisfaction du travail bien accompli. Le même principe s'applique à presque tout, autant aux petits qu'aux grands plaisirs de la vie.

Malheureusement, la plupart des gens ont peur de souffrir et ont tendance à préférer le statu quo. Résultat : ils ne vivent pas souvent de grandes joies ou de grandes peines. Pour atteindre les plus hauts niveaux, il faut savoir donner et investir les efforts voulus. Ce n'est jamais facile, il faut croire à la fois en son rêve et en son potentiel et tout faire pour y parvenir.

Mon ami Luc Gélinas[6] a publié deux livres sur les joueurs de hockey qui ont réussi à aller au bout de leur rêve et à se rendre dans la Ligue nationale. À la lecture de ses deux bouquins, on se rend compte que l'histoire de chacun est différente, mais qu'il y a un élément de base que tous possèdent : la passion.

Luc présente des jeunes qui ont fait face à l'adversité et au découragement. Ces jeunes auraient très bien pu abandonner, mais ils prouvent que lorsqu'on veut vraiment quelque chose, on peut l'obtenir. Somme toute, la recette est simple et compliquée à la fois. Elle est simple,

---

6. Luc Gélinas est auteur et journaliste. Il s'est joint à l'équipe du Réseau des Sports en 1989 où il a largement couvert les activités des Canadiens.

en ce sens qu'il suffit d'être persévérant et de ne pas abdiquer, mais elle est compliquée aussi parce qu'il faut investir des efforts colossaux et apprendre à souffrir pour y parvenir. Les jeunes doivent accepter cette souffrance comme un élément qui mène à leur but ultime : jouer dans la Ligue nationale.

Quand je parle de souffrance, je ne m'attarde pas seulement aux blessures ou aux coups reçus sur la patinoire lors d'une mise en échec. Je parle aussi de ces moments de découragement quand on est laissé de côté par l'entraîneur. Je parle de ces décisions difficiles qui, pour poursuivre notre développement dans le monde du hockey, nous obligent à quitter la famille et les amis pour aller jouer dans une autre ville, et parfois même dans un autre pays. Je parle de tous ces moments où vous vous retrouverez seul.

Toutefois, au bout du compte, vous obtiendrez le succès. Vous jouirez du plaisir de rencontrer de nouvelles personnes, de vous faire de nouveaux amis, de vivre des situations que vous n'auriez jamais vécues autrement. Sans compter le plaisir de voir qu'on s'améliore, qu'on apprend de nouvelles facettes du hockey. Puis finalement, certains peuvent goûter le bonheur d'accéder au rêve suprême de jouer dans une équipe professionnelle. Et je peux vous garantir qu'il faut faire des sacrifices immenses et qu'il faut beaucoup souffrir pour connaître ce plaisir.

Si jouer dans la Ligue nationale était si facile, cela n'aurait plus d'intérêt. C'est parce que c'est extrêmement difficile que le plaisir d'y parvenir est si gratifiant et revêt une telle importance à vos yeux. D'ailleurs, même si vous n'accédez pas à la grande ligue, prenez conscience que si vous allez au bout de vos possibilités, si vous exploitez votre potentiel au maximum, et si vous avez du plaisir à jouer, vous aurez tout de même atteint votre objectif.

J'AI EU LA CHANCE DE RENCONTRER SHANE DOAN, DES COYOTES DE PHOENIX, LORS DE L'ÉMISSION *L'ENTRACTE* DANS UNE ENTREVUE AVEC LUI À PHOENIX EN ARIZONA; ET J'AI COMPRIS ALORS CE QUE ÇA VOULAIT DIRE D'ÊTRE CAPITAINE ET DE DEVOIR SE SACRIFIER POUR SON ÉQUIPE OU L'UN DE SES JOUEURS. C'EST VRAIMENT À CE MOMENT-LÀ QUE J'AI SAISI TOUT CE QUE COMPORTAIT CETTE NOTION DU PLAISIR À LA SOUFFRANCE. IL ARRIVE TRÈS SOUVENT DANS LA VIE QUE, POUR OBTENIR UN CERTAIN PLAISIR, ON DOIVE PAYER LE PRIX D'UNE CERTAINE DOSE DE SOUFFRANCE. C'EST EXACTEMENT CE QUI EST ARRIVÉ À SHANE DOAN.

SHANE COMPRENAIT TRÈS BIEN LE RÔLE QU'IL DEVAIT JOUER EN TANT QUE LEADER ET CAPITAINE D'ÉQUIPE. AFIN DE BIEN S'ACQUITTER DE CETTE TÂCHE DE CAPITAINE QUI LUI TENAIT À CŒUR, IL A PRIS PARFOIS TOUT LE BLÂME SUR LUI AFIN DE PROTÉGER L'UN DE SES JOUEURS. POUR LUI, ÊTRE CAPITAINE, C'EST UN PLAISIR, MAIS QUI NE L'A TOUTEFOIS PAS EMPÊCHÉ DE SOUFFRIR. IL EST RESTÉ FORT ET GRAND ET A SU PROTÉGER SES COÉQUIPIERS, ET CE, MALGRÉ LA TEMPÊTE SOULEVÉE DANS LES MÉDIAS ET LES TRIBUNAUX.

EN FAIT, IL SEMBLE QUE SHANE AIT ÉTÉ PRIS AU BEAU MILIEU D'UNE CONTROVERSE REMPLIE DE MALENTENDUS SUR LA GLACE, À MONTRÉAL AU CENTRE BELL, QUAND UN DES ARBITRES FRANCOPHONES S'EST PLAINT D'AVOIR ENTENDU DES JOUEURS DE SON ÉQUIPE LES TRAITER DE « *FROGS* » – INVOQUANT QU'ILS NE POUVAIENT PAS GAGNER EN RAISON D'UN PARTI PRIS FAVORABLE AUX « *FROGS* ». LORS DE NOTRE RENCONTRE, IL M'A AVOUÉ AVOIR CHOISI DE PRENDRE LE BLÂME POUR LES

PROPOS INJURIEUX QUI AVAIENT ÉTÉ PROFÉRÉS CONTRE LES ARBITRES FRANCOPHONES, COMME SI C'ÉTAIT LUI QUI AVAIT DIT ÇA, ALORS QUE CE N'ÉTAIT PAS LE CAS. IL A FALLU QUELQUES ANNÉES AVANT QU'ON SACHE QU'IL NE S'AGISSAIT PAS DE LUI, MAIS SHANE N'A JAMAIS VOULU RÉVÉLER QUI C'ÉTAIT, POUR NE PAS METTRE CE JOUEUR DANS LE PÉTRIN.

EN ÉTANT LOYAL ET FIDÈLE À L'ESPRIT DE SON ÉQUIPE, SHANE DOAN N'A JAMAIS DIVULGUÉ QUE C'ÉTAIT SON GARDIEN DE BUT LE COUPABLE.

17

Transformez vos rêves en réalité

Ne perdez jamais de vue votre rêve, gardez-le toujours près de vous. N'oubliez jamais que vous jouiez au hockey, quand vous étiez petit enfant, parce que vous aimiez ça. Il faut que le jeu demeure un jeu. Il faut toujours y retrouver le plaisir de jouer, même si cela devient un travail rémunéré. Vous ne travaillerez jamais de votre vie si vous jouez en vous amusant.

Rassurez-vous, vous ne donnerez pas l'impression de manquer de sérieux, car au contraire, vous éprouverez ce plaisir de jouer. De plus, vous ressentirez cette passion, cette chance de pratiquer ce sport que vous aimez le plus au monde.

Êtes-vous fervent, enthousiaste, doté de cette vive ardeur à aller toujours plus loin ? Êtes-vous prêt à en payer le prix pour vous rendre où vos aspirations vous mènent ? Faites-vous tous les efforts nécessaires ? Êtes-vous honnête avec vous-même ? Croyez-vous que vous avez tout ce qu'il faut pour réussir ? Faites-vous en sorte qu'aucun détail ne vous échappe? Ce rêve est-il plus important que tout dans votre vie, ou presque? Si oui, vous adopterez une éthique de travail, soucieux des valeurs et des règles morales propres à votre équipe, et conscient de la discipline nécessaire pour jouer avec brio, tout en vous amusant.

Qu'adviendrait-il si vous ne vous imposiez pas toutes ces limitations qui freinent votre élan? Vous réaliseriez vos rêves.

Et s'il ne vous restait que cinq ans à vivre? Vous commenceriez à travailler à leur réalisation. Et si vous n'aviez aucune limite de ressources pour réaliser vos rêves? Qu'est-ce qui arriverait si vous étiez certain de réussir votre coup? Faites «comme si» et foncez!

Nous avons parlé de vos talents, de vos forces, de vos faiblesses et mentionné qu'il était essentiel de bien se connaître. Donnez-moi maintenant cinq facteurs que vous aimez de vous, des facettes de votre personnalité qui vous plaisent. Qu'est-ce qui vous particularise? Quel est votre meilleur moment vécu? Si vous voulez réaliser vos rêves, travaillez sur vos forces et non seulement sur vos faiblesses. Cela vous permettra d'obtenir des résultats rapides et concrets. Et c'est ce qui vous donne les meilleurs résultats.

C'est la passion que vous investirez à vouloir concrétiser votre rêve qui vous permettra de surmonter les obstacles. En fait, la différence entre un rêve inspirant et la manifestation de ce rêve, c'est de persister jusqu'à sa réalisation.

Et la différence primordiale qui vous démarquera encore plus, c'est de croire que vous pouvez y arriver lorsque les autres doutent. Planifiez quand les autres sont en train de jouer. Étudiez pendant que les autres dorment. Si tout est bien réfléchi, décidez immédiatement pendant que les autres prennent du temps à le faire. Préparez-vous pendant que les autres rêvent en plein jour. Commencez et passez à l'action alors que les autres sont encore en pleine indécision et pratiquent la procrastination.

Travaillez tandis que les autres sont en train d'espérer. Économisez pendant que les autres dépensent. Écoutez pendant que les autres parlent. Souriez même si les autres ont l'air bête. Commentez avec positivisme et en apportant des critiques constructives plutôt que de vous laisser démolir par les autres et leurs jugements défavorables. Persistez alors que les autres sont sur le point d'abandonner. C'est ce qui fait la différence entre un gagnant et un perdant.

Ce n'est pas nécessairement le succès qui vous permettra d'être heureux, mais chose certaine, être heureux est la clé du succès. Aimez ce que vous faites, déployez votre énergie avec passion, discipline et persévérance, et vous aurez du succès.

Vous faites peut-être partie de ceux qui ont peur d'avouer qu'ils voudraient tant évoluer dans la Ligue nationale de hockey. Nous avons peur de nous affirmer quand il s'agit d'affirmer ce que nous voulons vraiment vivre. N'ayez pas peur de dire haut et fort votre rêve et travaillez ensuite en vous donnant corps et âme afin de l'atteindre. Comme je vous le répète depuis le début de cet ouvrage, tout cela est d'abord dans la tête!

COMMENT FAIRE DE VOTRE UN RÊVE UN BUT ?

Je vous l'ai précisé, mais il vaut la peine d'y revenir. Vous écrivez tout simplement ce que vous voulez faire, où vous êtes en ce moment et comment vous comptez vous y rendre. Pour y parvenir, vous transformez votre rêve en un but atteignable et réalisable, en vous y consacrant et en vous concentrant sur ces petits détails qui feront de vous le joueur que vous méritez d'être. Vous aurez accompli alors votre rêve de joueur.

Vous avez reçu à la naissance un bagage, un héritage génétique, puis au cours de votre existence, vous avez acquis certaines connaissances qui vous ont été inculquées. Ce bagage naturel comporte des facteurs qui sont établis à la fois sur les plans physique et mental – la génétique et l'hérédité des parents –, c'est la route de l'individu. Par conséquent, certaines parts de nous-mêmes sont innées et d'autres proviennent de l'apprentissage.

Il faut tenir compte aussi de tout ce qui concerne l'aspect social, l'environnement: ce qui a contribué à faire de vous ce que vous êtes. Par exemple, l'éducation que vous avez reçue. Il y a aussi ce que nous appelons le potentiel, comment vous êtes prêt à faire face à l'adversité. En toute logique donc, une partie de notre personnalité nous est donnée par nos gènes, et l'autre par ce que nous avons appris. Il en va de même dans le monde du sport.

Il se trouve un autre élément extrêmement important à ne pas négliger : votre détermination à réussir. Et c'est une question de choix de ce que vous souhaitez vraiment devenir. Avant toute chose, c'est votre détermination à connaître le succès qui dictera si on parlera ou non de vous en matière de réussite dans le hockey. Nous l'évaluons selon l'engagement personnel du joueur à réussir, de se concentrer à 100 % sur ce qu'il fait, sans oublier tous les éléments relatifs à l'éthique de travail.

Quelqu'un qui s'engage à fond dans ce qu'il fait ne cherche pas d'excuses. Si quelque chose a mal fonctionné, il sait s'il doit s'en blâmer. Si c'est le cas, il va en prendre la pleine responsabilité. Donc l'engagement et la responsabilité du joueur sont indispensables à sa progression individuelle et à son apport à l'équipe. Il doit être capable d'admettre ses torts et de prendre une décision judicieuse pour changer les choses et d'agir immédiatement.

Il ne faut pas confondre volonté et détermination. Vous pouvez faire preuve de bonne volonté à mener votre jeu à bien, mais avoir la détermination pour le faire, c'est aller beaucoup plus profondément dans son jeu. Encore une fois, l'engagement fait toute la différence. Oui, on s'engage envers les autres, mais surtout envers soi-même. Engagez-vous donc dès maintenant à donner le maximum de vous-même dans toutes les circonstances !

Dans la détermination et l'engagement, cinq caractéristiques exceptionnelles ressortent. Les études démontrent qu'il faut avoir ce qu'on appelle le « *self-awareness* », la conscience de soi. Donc premièrement, une bonne connaissance de soi est l'ingrédient principal.

Deuxièmement, c'est l'habileté de croire en soi et en ceux qui nous aident. La troisième caractéristique est l'habileté à savoir quoi faire pour s'aider soi-même. Quatriè-mement, découvrir ce que je dois mettre en place pour m'aider moi-même à m'accomplir en prévoyant les problèmes qui peuvent survenir, les obstacles éventuels, et comment y remédier. Et cinquièmement, reconnaître l'importance de l'adversité.

Qu'on le veuille ou non, l'adversité est toujours présente et se traduit par des moments difficiles à traver-ser dont il faut soupeser l'importance. Non seulement sont-ils importants, mais ils sont par surcroît indispen-sables ! C'est la seule façon de grandir dans l'adversité. Lorsque l'on se surpasse au-delà de l'adversité, on devient une grande personne.

18

Pour améliorer votre performance

Vous pouvez utiliser trois types de pensées positives pour améliorer votre performance : la pensée stratégique, la pensée émotive et la pensée identitaire.

La pensée stratégique est un important exercice de créativité, ni plus ni moins. Il consiste à tenter d'aller à la recherche de nouvelles informations à intégrer autant au niveau conscient qu'inconscient pour les traduire en gestes précis. Par exemple, il faut développer une fluidité et une flexibilité dans votre façon de voir le jeu. Cette approche permet de vous adapter rapidement et de réagir aux différentes exigences qui surviennent dans une partie. Mais c'est aussi ce type de pensée qui vous amène à mieux travailler en groupe, car elle vise à créer une pensée commune qui déterminera l'approche et le style de notre équipe.

La pensée émotive est celle qui génère des sentiments. Elle est très intuitive et, comme son appellation l'indique, contrôlée par les émotions. C'est surtout par ce type de pensée que nous allons chercher la motivation nécessaire et indispensable pour continuer, pour aller plus loin, pour atteindre nos buts.

Enfin, *la pensée identitaire* est celle qui permet de nous définir. C'est par elle que l'on peut déterminer la façon dont on pense à soi, dont on se voit. La pensée identitaire détermine ce que nous sommes. C'est à travers ce filtre que nous commençons à bâtir notre confiance en soi et notre estime de soi. Ce type de pensée est aussi essentiel en ce qui concerne l'équipe. En effet, une fois que vous avez décidé et adopté collectivement ce qui vous caractérise comme groupe, il devient plus facile de jouer en respectant cette image, car elle vous représente. Vous savez ce que vous êtes et ce que vous êtes capables de réussir.

Tout part effectivement de la pensée. Permettez-moi de le répéter : c'est dans la tête que ça se passe ! De cette pensée surgit le rêve, cet objectif que nous voulons atteindre pour que notre vie soit pleine et réussie. Quand nous croyons en nos pensées, en acceptant les conséquences qu'elles imposent, nous vivons avec un sentiment d'unicité. Il faut être convaincu de ses choix, car la démarche peut être longue et il y a toujours un prix à payer.

Je me souviens bien lorsque Vincent, mon fils, avait six ans. Il était inscrit avec le fils de Mario Lemieux à l'école de hockey d'Alain Lemieux de Pittsburgh. Alain est le frère de Mario. Pour l'occasion, nous résidions chez Mario durant une semaine afin de permettre aux deux jeunes hockeyeurs en herbe de pratiquer leur passion du hockey et de passer du temps ensemble.

Un soir, durant la semaine, nous étions tous allés souper au restaurant. Chaque fois, la même routine se répétait. À la sortie du resto, des dizaines d'admirateurs attendaient Mario afin d'avoir un autographe. Pendant que Mario signait, Austin, son fils, habitué à ce scénario, restait à côté sans dire un mot.

Le lendemain matin, assis à l'îlot de cuisine avec un papier et un crayon, mon fils griffonnait. Mario entre dans la pièce et lui demande : « Qu'est-ce que tu fais, Vincent ? », et celui-ci répond : « Je pratique mes autographes. Car un jour, je serai moi aussi le meilleur joueur de hockey au monde… Mais moi, je ne serai pas connu ! »

Nous avons bien ri, car même à son jeune âge, mon fils avait saisi qu'il y avait un prix à payer pour la gloire. À ce moment-là, j'ai su que Vincent avait compris la célèbre phrase de mon amie Ginette Reno : « Il n'y a pas de récompense, pas de pénitence, que des conséquences. » Dans sa petite tête d'enfant de six ans, il avait constaté que Mario était une *superstar* et que l'une des conséquences de son statut était de faire attendre son jeune fils pendant qu'il remplissait ses obligations de mégavedette.

Finalement, c'était un peu comme si un enfant de six ans nous disait qu'il voulait jouir du bon côté de la vie, qu'il souhaitait être le meilleur joueur de hockey au monde, mais sans devoir le faire payer à ses enfants en étant obligé de prendre du temps pour signer des autographes à de purs inconnus. Bien sûr, c'est à peu près impossible, mais pour un enfant de son âge, tout est permis.

En effet, il n'y a ni récompense, ni pénitence, il n'y a que des conséquences. Nous sommes donc responsables de notre vie et c'est bien ainsi. C'est une excellente nouvelle même, car *responsable* veut dire, si on le traduit de l'anglais, « *response-able* », c'est-à-dire apte à donner une réponse.

Vous êtes et vous serez toujours le résultat de vos choix. Vous êtes ce que vous êtes aujourd'hui à cause des choix que vous avez faits hier. Et demain, vous serez là où les choix que vous ferez aujourd'hui vous amèneront. Comme je le disais auparavant : hier n'existe plus, et demain n'existera jamais, puisque lorsque nous serons demain, ce sera aujourd'hui.

Apprenez à prendre de bonnes décisions, et plus rien ne pourra vous arrêter. Entre le stimulus et la réponse, se trouve la décision. C'est dans les moments de décision que votre destinée se dessine. Pouvoir décider, c'est pouvoir changer. Être responsable, c'est être « responsable », c'est-à-dire apte à prendre une décision et capable de l'appliquer jusqu'à l'objectif visé ; être capable de donner non seulement une réponse, mais *votre* réponse.

Dans tout le processus de perception, surgit d'abord une pensée. Puis, il y a l'acceptation de cette pensée à travers le filtre de nos valeurs et de nos croyances ; ce qui détermine notre sentiment. Par conséquent, nous ne devrions pas avoir peur des obstacles, mais bien plus de nos pensées.

« Je suis libre, car je suis moralement responsable de tous mes actes. »

– ROBERT HEINLEIN

Revenons sur la visualisation qui est une des facettes de la pensée. Une des meilleures façons de pratiquer la répétition mentale est de vous imaginer en train de jouer avec confiance et efficacité une situation que vous avez déjà réussie. Visualisez vos tâches précises à accomplir. Projetez votre énergie en images de ce que vous voulez créer. Relaxez et imaginez. Prenez du temps pour vous détendre et songer que vous brillez à la hauteur de vos attentes. Demeurez positif. Faites de la répétition mentale.

Commencez doucement. Il est plus facile de passer du plus simple au plus difficile. Soyez dynamique. Testez différentes approches afin de trouver pour vous la meilleure façon de visualiser. Soyez bref. Une brève visualisation a autant d'effet qu'une plus longue. Mettez tous vos sens à contribution : la vue, le toucher, l'odorat, etc.

Travaillez vos affirmations positives favorites. Asseyez-vous, relaxez et imaginez-vous au jeu. Fixez-vous des buts, dessinez des schémas pour mieux visualiser. Vous pouvez vous imaginer représentant un animal avec les qualités que vous aimeriez avoir au jeu, dans le feu de l'action. Visionnez des vidéos de matchs que vous avez joués antérieurement.

LORSQUE J'ÉTAIS PLUS JEUNE, J'ÉPROUVAIS UNE CERTAINE DIFFICULTÉ À L'ÉCOLE. QUAND J'AI ATTEINT LE NIVEAU UNIVERSITAIRE, J'AI SOUDAIN DÉCOUVERT MA PASSION POUR LES ÉTUDES. VOICI CE QUE JE FAISAIS POUR Y OBTENIR DU SUCCÈS. JE PRENAIS UN LONG ROULEAU DE PAPIER DE 30 MÈTRES DE LONG PAR 1 MÈTRE DE LARGE. J'Y ÉCRIVAIS, AVEC DE L'ENCRE DE DIFFÉRENTES COULEURS, LES CONCEPTS QUE JE DEVAIS RETENIR ET QUI ÉTAIENT SUSCEPTIBLES DE REVENIR DANS UN DE MES EXAMENS FINAUX. EH OUI, VOUS AVEZ BIEN COMPRIS. J'ÉCRIVAIS SUR CE PAPIER TOUTES MES NOTES. JE COUPAIS ENSUITE CE LONG PARCHEMIN ET JE COLLAIS CES BOUTS DE FEUILLE AU MUR DE MON APPARTEMENT À L'UNIVERSITÉ.

PUIS, PENDANT DES JOURS, JE ME PROMENAIS ENTRE CES FEUILLES QUI COUVRAIENT MES MURS. J'ÉTUDIAIS EN ME PROMENANT ET EN RELISANT MES NOTES COLLÉES UN PEU PARTOUT. JE RÉPÉTAIS CE MANÈGE AVEC UN MAGNÉTOPHONE. CHAQUE SOIR, JE RELISAIS MES NOTES À HAUTE VOIX AVANT DE M'ENDORMIR, PUIS JE RÉÉCOUTAIS L'ENREGISTREMENT. J'UTILISAIS TOUS MES SENS POUR OBTENIR DU SUCCÈS À L'UNIVERSITÉ. PENDANT LES EXAMENS, JE ME SOUVIENS TRÈS BIEN D'AVOIR CHERCHÉ EN ESPRIT DES RÉPONSES AUX QUESTIONS, EN ME PROMENANT MENTALEMENT DANS MON APPARTEMENT OÙ JE VOYAIS, DANS UN COIN, MES NOTES DE COULEURS DIFFÉRENTES QUE JE POUVAIS RELIRE DANS MA TÊTE.

LORSQUE VOUS EFFECTUEREZ DE LA VISUALISATION AVEC TOUS VOS SENS, VOUS AUREZ, QUAND VOUS JOUEREZ,

UNE IMPRESSION DE DÉJÀ-VU, CAR EFFECTIVEMENT, À UN MOMENT DONNÉ, DANS VOTRE IMAGINATION, VOUS AUREZ DÉJÀ VÉCU CE MOMENT.

●

LORSQUE MICHEL THERRIEN EST ARRIVÉ À PITTSBURGH POUR DIRIGER LES PENGUINS, SIDNEY CROSBY EN ÉTAIT À SES PREMIERS PAS DANS LA LIGUE NATIONALE. MICHEL A SU TIRER LE MAXIMUM DE SIDNEY. VOICI COMMENT IL A PROCÉDÉ.

IL A RENCONTRÉ SIDNEY ET LUI A POSÉ CERTAINES QUESTIONS, PAR EXEMPLE : « AIMERAIS-TU QUE JE FASSE DE TOI LE MEILLEUR JOUEUR AU MONDE ? » TOUT NATURELLEMENT, SIDNEY A ACQUIESCÉ ET MICHEL DE LUI RÉPONDRE : « NOUS ALLONS ALORS FAIRE DE TOI LE MEILLEUR JOUEUR AU MONDE. »

À SA PREMIÈRE ANNÉE, SIDNEY EST DEVENU UN JOUEUR DOMINANT. À LA SUITE DE LA RETRAITE DE MARIO LEMIEUX, MICHEL LUI A DONC DEMANDÉ S'IL VOULAIT OCCUPER LE POSTE DE CAPITAINE ET PORTER LE CHANDAIL DE MARIO. IL A REFUSÉ, PRÉTEXTANT ÊTRE TROP JEUNE, SANS LA MATURITÉ NÉCESSAIRE, ET QU'IL NE SE SENTAIT PAS ASSEZ PRÊT À FAIRE SES PREUVES.

L'ANNÉE SUIVANTE, LES PENGUINS ONT FAIT UN CAMP D'ENTRAÎNEMENT (LE NAVY SEALS AMÉRICAIN) AVEC TOUS LES JOUEURS. C'ÉTAIT UNE EXPÉRIENCE RASSEMBLEUSE EXTRAORDINAIRE ET EXTRÊMEMENT EXIGEANTE, MAIS PUISQUE SIDNEY VOULAIT ALLER DANS UN ENDROIT OÙ LA DISCIPLINE ÉTAIT RIGOUREUSE, ILS Y SONT DONC RETOURNÉS UNE AUTRE ANNÉE.

CETTE ANNÉE-LÀ L'A JUSTEMENT CONDUIT À LA CONQUÊTE DE LA COUPE STANLEY ET SIDNEY A

FINALEMENT ACCEPTÉ LA PLACE DE CAPITAINE DANS
L'ÉQUIPE. LES PLUS GRANDS JOUEURS SAVENT ÉCOUTER
LEUR INSTINCT. COMME L'A FAIT SIDNEY, IL EST
IMPORTANT D'AVOIR UNE BONNE ÉTHIQUE DE TRAVAIL.

19

La persévérance
par opposition à l'abandon

« Je n'ai pas échoué. J'ai seulement trouvé
10 000 moyens qui ne fonctionnent pas. »

– THOMAS A. EDISON

Jusqu'ici, nous avons parlé de rêves, d'efforts, de souffrance, du bonheur d'avoir atteint ses objectifs, mais il faut comprendre que rien de tout cela n'est possible si on ne persévère pas. La persévérance est le moteur qui nous permet de continuer, cette volonté et cette détermination qui font que nous avançons.

Qu'advient-il en effet quand nous n'avons pas cette force de persévérer? Il n'arrive plus rien. Tout s'écroule. Si on ne fournit plus d'efforts et qu'on ne vise plus à réaliser notre objectif, on abandonne et on laisse sombrer nos rêves.

Il est possible que l'envie de tout abandonner vous assaille. Vous n'aurez dès lors plus l'énergie ni le désir de faire tous ces sacrifices. Et cela arrivera probablement assez souvent. Quand cela surviendra, ne paniquez surtout pas. C'est normal. Tous les athlètes ont connu de tels moments. Il importe alors de prendre un peu de recul, puis de revisiter et de dépoussiérer son rêve.

Une des erreurs les plus fréquentes chez les sportifs, c'est de se fixer des objectifs trop ambitieux, ce qui entraîne parfois certaines périodes de découragement. Bien sûr, vous nourrissez le rêve de jouer dans la Ligue nationale et de devenir un « joueur d'impact ». Mais entre le point où vous êtes aujourd'hui et celui que vous visez, l'écart est énorme. Il faut donc penser en termes plus réalistes et immédiats.

« La persévérance franchit tous les obstacles. »

– SÉNÈQUE

MAX PACIORETTY ÉVOLUE AVEC LES CANADIENS DE MONTRÉAL DEPUIS LA SAISON 2008-2009. IL EST RECONNU POUR SON TALENT, SA VISION DU JEU ET SA VITESSE. IL PROGRESSAIT D'AILLEURS DE FAÇON ÉTONNANTE JUSQU'À CE QUE SURVIENNE CETTE FAMEUSE MISE EN ÉCHEC. QUI NE SE SOUVIENT PAS DU GESTE DE ZDENO CHÁRA, LE CAPITAINE DES BRUINS DE BOSTON, QUI A POUSSÉ SA TÊTE CONTRE LE POTEAU QUI DÉLIMITE LA FIN DU BANC DES JOUEURS, POUR UN CHOC VIOLENT CONTRE LA BANDE DE PROTECTION DE LA BAIE VITRÉE SÉPARANT LES BANCS DES DEUX ÉQUIPES, LE 8 MARS 2011 ? MAX S'ÉCROULE SUR LA PATINOIRE ET RESTE SANS BOUGER PENDANT D'INTERMINABLES MINUTES. LE DIAGNOSTIC : FRACTURE DE LA QUATRIÈME VERTÈBRE CERVICALE AINSI QU'UNE SÉRIEUSE COMMOTION

CÉRÉBRALE ; CE QUI LUI LAISSE PEU D'ESPOIR DE REVENIR UN JOUR AU JEU, ET SURTOUT, DE REJOUER À LA HAUTEUR DU TALENT QU'ON LUI CONNAISSAIT.

POURTANT, PACIORETTY N'ABANDONNERA JAMAIS. IL REVIENT AU JEU LA SAISON SUIVANTE, À L'ÂGE DE 22 ANS, ET RÉUSSIT 33 BUTS ET 32 PASSES EN 79 MATCHS. POUR SA COMBATIVITÉ, SON ESPRIT SPORTIF, SON DÉVOUEMENT ET SA PERSÉVÉRANCE, ON LUI DÉCERNE, AU TERME DE LA SAISON 2011-2012, LE TROPHÉE BILL MASTERTON.

LA LIGUE NATIONALE REGORGE D'EXEMPLES DE LA SORTE. QUE DIRE DE MARTIN SAINT-LOUIS ? PENDANT TOUTE SA CARRIÈRE, ON LUI A AFFIRMÉ QU'IL ÉTAIT TROP PETIT POUR ÉVOLUER UN JOUR DANS LA LIGUE NATIONALE. IL OBTIENT POURTANT DES SUCCÈS ÉTONNANTS DANS LES RANGS JUNIOR. EN 1995-1996, ALORS QU'IL JOUE AVEC L'ÉQUIPE DE L'UNIVERSITÉ DU VERMONT, IL RÉUSSIT 29 BUTS ET OBTIENT 56 PASSES, CE QUI REPRÉSENTE ALORS LE PLUS HAUT TOTAL DE POINTS (85 EN 35 PARTIES) INSCRITS PAR UN JOUEUR DE L'HISTOIRE DE L'ÉQUIPE DE CETTE UNIVERSITÉ.

AU REPÊCHAGE DE 1994, AUCUNE ÉQUIPE DE LA LIGUE NATIONALE NE L'AVAIT CHOISI. MAIS IL NE BAISSE PAS LES BRAS ET N'ABANDONNE PAS SON RÊVE. IL CONTINUE DANS LA LIGUE INTERNATIONALE ET SERA FINALEMENT REMARQUÉ PAR LES FLAMES DE CALGARY EN 1997. ON NE LE LAISSE TOUTEFOIS PAS FAIRE PARTIE IMMÉDIATEMENT DE LA FORMATION PARTANTE AVEC L'ÉQUIPE. ON L'ENVOIE AU CLUB-ÉCOLE OÙ, ENCORE UNE FOIS, IL PRODUIT TRÈS BIEN. MALGRÉ SES RÉSULTATS, LES FLAMES NE L'ACCUEILLENT QUE LA SAISON SUIVANTE.

MAIS IL SEMBLE QU'IL NE S'INTÈGRE PAS AU PLAN D'AVENIR DE L'ÉQUIPE PUISQUE SON CONTRAT N'EST PAS PROLONGÉ. C'EST ALORS QUE LE LIGHTNING DE TAMPA BAY LUI DONNE UNE CHANCE. ET C'EST LÀ QU'IL DEVIENT LE JOUEUR ÉTONNANT, RESPECTÉ ET TALENTUEUX QUE L'ON CONNAÎT MAINTENANT. EN 2003-2004, IL CONCLUT

LA SAISON AVEC 94 POINTS ET EST LE MENEUR DE LA LIGUE POUR LES POINTS ET LES PASSES (ÉGAL À GOMEZ AVEC 56).

IL EST NON SEULEMENT RECONNU COMME UN JOUEUR IMPRESSIONNANT, MAIS AUSSI COMME UN JOUEUR « PROPRE » PUISQU'IL EST QUATRE FOIS EN NOMINATION POUR LE TROPHÉE LADY BYNG, QU'IL OBTIENDRA DEUX FOIS DE SUITE. ET TOUT ÇA MÊME SI ON LE TROUVAIT TROP PETIT POUR JOUER DANS LA GRANDE LIGUE.

À MON AVIS, MARTIN SAINT-LOUIS REPRÉSENTE BIEN CETTE DÉTERMINATION, CETTE PERSÉVÉRANCE ET CETTE TÉNACITÉ QUI FONT LES CHAMPIONS.

Être persévérant, c'est faire preuve de ténacité, d'obstination et de détermination. C'est cette qualité que vous devez développer afin de poursuivre la route vers votre rêve avec fermeté, malgré les embûches que vous trouverez sur votre chemin.

« Va jusqu'au bout des choses avant d'abandonner. »

– AUTEUR INCONNU

Il est possible pour les parents et pour les entraîneurs d'aider un jeune à devenir plus résolu, plus audacieux, plus entreprenant. En règle générale, les félicitations, les encouragements et les succès contribuent à accroître la persévérance alors que les insuccès la diminuent. Si votre enfant ou l'un de vos joueurs connaît des difficultés, il faut trouver les éléments positifs qui l'encourageront afin de l'inciter à poursuivre ses efforts. Militez en faveur des bons côtés et des facteurs à améliorer plutôt que de vous appesantir sur les erreurs. De grâce, évitez que l'enfant ne s'enferme dans une croyance où il se convaincrait qu'il n'est pas capable de réussir !

Aidez-le également à atteindre ses rêves en lui permettant de s'améliorer. À cette fin, déterminez avec lui des étapes plus près de lui et plus accessibles, sur lesquelles il pourra se concentrer. Inutile de parler des possibilités de jouer un jour dans une ligue importante ou de lui faire miroiter un contrat éventuel dans la LNH. Il lui faut d'abord passer par les apprentissages.

Dans ce dessein, il convient d'établir avec lui des buts à court et moyen terme. Choisissez par exemple des objectifs plus modestes qui visent une présence, une partie ou une semaine, avant de passer à ceux de la saison entière. Chaque réussite contribue à rehausser sa confiance en soi et l'incite à persévérer. Il ne faut pas non plus hésiter à revoir les défis à relever en fonction de sa capacité actuelle à faire d'eux une réalité. Dans cette optique, ils doivent n'être ni trop faciles ni trop difficiles. Et quand une approche ne fonctionne pas et ne récolte pas le résultat escompté, n'hésitez pas à la changer.

FRANÇOIS BEAUCHEMIN EST UN JEUNE HOMME AUTHENTIQUE ET SINCÈRE, UN VRAI MODÈLE DE PERSÉVÉRANCE. IL A ÉVOLUÉ PENDANT TRÈS LONGTEMPS DANS LA LIGUE AMÉRICAINE AVANT QUE SON RÊVE SE RÉALISE ; SI BIEN QU'IL A FAIT SON ENTRÉE DANS LA LNH À UN ÂGE OÙ LES AUTRES DÉCIDENT DE S'ARRÊTER. PLUSIEURS AURAIENT ABANDONNÉ, MAIS PAS LUI.

J'AI SOIGNÉ PLUSIEURS FOIS FRANÇOIS APRÈS DES
BLESSURES POUR LA RÉADAPTATION, ET JAMAIS JE N'AI
RENCONTRÉ QUELQU'UN D'AUSSI DISCIPLINÉ ET DOTÉ
D'UNE AUSSI GRANDE ÉTHIQUE DE TRAVAIL. IL EST UN
EXEMPLE POUR TOUTES LES GÉNÉRATIONS. SES
PREMIÈRES ANNÉES ONT ÉTÉ FORT DIFFICILES, MAIS SES
EFFORTS ONT ÉTÉ RÉCOMPENSÉS, CAR AVEC SON ÉQUIPE,
IL A REMPORTÉ LA COUPE STANLEY. SA PRIORITÉ DEMEURE
SA FAMILLE, AUTANT SES PARENTS QUE SA FEMME ET SES
ENFANTS.

« Si tu veux quelque chose que tu n'as jamais eu,
il te faudra faire ce que tu n'as jamais fait. »

– AUTEUR INCONNU

J'ai entendu un jour une expression qui disait qu'un éléphant se mange une bouchée à la fois. C'est ainsi qu'il faut voir l'atteinte de notre but. Notre rêve c'est l'éléphant qu'il faut manger (le but ultime). Mais inutile de penser y arriver en une seule fois. Il faut y aller par étape, une bouchée à la fois. C'est comme ça qu'on développe la persévérance et la détermination indispensables pour tous ceux qui veulent aller au bout de leurs rêves et franchir les limites.

20

La parole peut guérir ou détruire

« La chose la plus importante en communication,
c'est d'entendre ce qui n'est pas dit. »

– PETER DRUCKER

La parole, l'un des éléments du langage parlé, est cons-
tituée des mots que vous utilisez pour communiquer
avec les autres et avec vous-même. Les paroles que vous
dites et que vous entendez peuvent blesser ou guérir.
La qualité et la pertinence des mots que vous employez
déterminent les sentiments que les gens éprouvent envers
vous, ceux que vous entretenez à l'égard des autres, ainsi
que ceux ressentis à l'égard de vous-même. C'est le formidable pouvoir des mots qui nous émeut à la lecture de la
description que Martin Luther King a faite de son rêve.
La puissance des mots transcende les frontières du temps
et de l'espace. Les mots sont éternels.

C'est triste, mais on se souvient plus vivement des
paroles de découragement que les autres ont prononcées

que de celles qui encouragent. Veillez à prendre le sens des paroles pour ce qu'il est et non pour l'interprétation que vous en faites. Les problèmes des êtres humains viennent souvent du fait qu'ils donnent à certaines paroles un sens blessant qu'elles n'ont pas réellement. Prenez-les pour ce qu'elles sont, ni plus ni moins. Quand vous pressentez avoir saisi tel propos de telle manière, vérifiez votre intuition auprès de la personne touchée. Vous éviterez ainsi beaucoup de complications et de soucis.

Malheureusement, trop de gens vivent et ressentent des émotions négatives, car ils ont mal interprété les paroles des autres à leur égard. Ils se contentent de créer des scénarios dans leur tête à propos de ce que les gens pensent. Nous avons tant de difficulté à savoir ce que nous pensons vraiment, comment pourrions-nous deviner avec justesse la pensée des autres ? À essayer de pressentir la pensée des autres, vous risquez de vous blesser et de blesser inutilement votre entourage en vous forgeant des idées inexactes. Au lieu de tourner autour du pot, posez directement la question qui vous intéresse à votre interlocuteur. Vous saurez très rapidement à qui vous avez affaire et de quoi il en retourne.

Lorsqu'une personne se parle à elle-même, c'est une sorte de monologue interne, une longue suite de réflexions qu'elle s'adresse. Votre subconscient enregistre tout ce dialogue intérieur. Soyez donc vigilant, même dans votre façon de réfléchir, puisque ce langage intérieur déterminera votre estime de soi. Il est possible d'atténuer l'intensité des émotions négatives en employant des mots qui modifient votre état d'esprit et atténuent votre malaise. Il est essentiel d'enrichir votre vocabulaire émotionnel afin que les mots que vous choisissez déclenchent l'état émotionnel que vous désirez et que vous méritez.

Lorsque vous vous parlez intérieurement, utilisez des mots justes pour vous qualifier. Ne généralisez jamais en vous disant par exemple : « *Ça n'arrive qu'à moi, parce que je suis vraiment idiot.* » Ne soyez pas plus sévère à l'égard de vous-même que vous le seriez envers un étranger. Mais ne soyez pas trop indulgent non plus. Soyez toujours respectueux envers vous. Cette attitude contribuera à bâtir et augmenter votre estime de vous.

Il est primordial de bien faire passer son message, à l'aide de bonnes directives pour le bien de l'équipe. Sans chercher à être blessant, il s'agit simplement de dire les choses telles qu'elles sont, en choisissant les bons mots, tout en respectant les autres. S'ils ne se sentent pas respectés, les joueurs ne seront pas enclins à se confier et à faire part de leurs problèmes. Sans compter qu'ils ne donneront pas le meilleur d'eux-mêmes au jeu.

De même, vous devez toujours parler des gens comme s'ils étaient en votre présence. Si vous n'avez rien à dire de positif à propos de quelqu'un, n'en parlez pas. Antoine de Saint-Exupéry a écrit : « Je n'ai pas le droit de dire ou de faire quoi que ce soit pour diminuer un homme à ses propres yeux. Ce qui est important, ce n'est pas ce que je pense d'une personne, mais plutôt ce qu'elle pense d'elle-même. Faire du mal à la dignité d'un homme est un crime. »

Il faut être faible pour critiquer, mais il faut du caractère et de la force pour comprendre et pardonner. Je dirais comme le grand critique Samuel Johnson : «Dieu Lui-même ne juge pas l'homme avant la fin de ses jours ! Pourquoi le ferais-je ?»

Comme on le voit, rien n'existe sans la communication, la façon de transmettre la parole. C'est la communication qui donne un sens aux événements. C'est elle qui nous aide à combler nos besoins. C'est elle qui crée et règle les problèmes. C'est par elle qu'on véhicule la haine ou l'amour. La communication, c'est ce qui nous unit ; c'est la diffusion d'idées et de sentiments.

Saviez-vous qu'il existe plus de 3400 mots pour exprimer nos émotions et nos impressions ? Mais nous n'en utilisons qu'une infime partie, comme si nous ne ressentions qu'un nombre limité d'expériences affectives. Plus votre vocabulaire sera riche, plus vous pourrez formuler votre pensée et traduire vos sentiments de façon précise, claire et concise. Alors, les gens pourront mieux percevoir votre intention et votre enthousiasme.

Les mots sont importants pour la qualité du rapport que vous entretenez non seulement avec les autres, mais aussi avec vous-même. La qualité de votre vie dépend beaucoup de la qualité de la communication entre les autres et vous, comme de celle que vous avez avec vous-même. Le type de communication intérieure que vous entretenez en vous-même déterminera votre estime de soi, qui est, à son tour, à la base même de la réussite et du bonheur.

Je dis souvent que nous sommes trois personnes en une. D'un côté, il y a un petit ange en nous qui nous encourage et nous dit de foncer, mais il ne parle pas très fort. De l'autre, il y a le petit diable qui crie tout le temps que c'est impossible, et au centre, il y a soi-même. On se laisse influencer par l'une ou l'autre de ces voix. Sans compter tous les individus autour de nous, qui nous communiquent que nous n'y arriverons pas, que nous devrions agir de telle façon, fidèles qu'ils sont à leur propre petit diable aussi.

Aujourd'hui, il y a beaucoup trop de personnes atteintes de « rectomyopie », cette maladie dont je vous parle au chapitre 4 sur les préjugés, au début du livre. Ils ne font que décourager les autres, il faut les fuir.

Alors, soyez attentif à la façon dont vous vous parlez, mais faites aussi attention à la façon dont vous parlez aux autres. Chaque mot peut être lourd de conséquences. Assurez-vous que les résultats soient des plus positifs. Et enfin, je le répète, prenez les paroles des autres pour ce qu'elles sont. Ne tentez pas de les interpréter. Il ne doit pas y avoir de distorsion ou d'ambiguïté entre ce que la personne a voulu dire et ce que vous en comprenez. N'hésitez pas à demander qu'on clarifie les messages qui vous sont transmis.

Au cours de ma carrière, j'ai eu la chance de côtoyer Bob Hartley, Michel Therrien, Jacques Demers, Michel Bergeron et Mario Tremblay : cinq entraîneurs qui ont dirigé dans la LNH et pour qui la communication est importante. Bien que chacun d'eux ait un style différent, ils sont tous d'excellents communicateurs.

Pour terminer ce chapitre sur la parole et la communication, je vous conseille de lire les écrits d'un ami et d'un grand écrivain, Jacques Salomé. Je vous recommande, entre autres, la Méthode ESPERE, qui propose une façon de voir, d'analyser, de dynamiser ou d'apaiser les relations, présentes ou passées, que nous vivons ou avons vécues… Pour communiquer autrement. C'est vraiment excellent.

21

Ceux qui provoquent, attendent ou subissent les événements

« N'hésite pas à montrer à quel point tu es exceptionnel de peur d'être critiqué par ceux qui choisissent de rester dans la moyenne. »

– AUTEUR INCONNU

Selon vous, quelle est la meilleure façon de faire face à une situation ? Provoquer les choses, attendre qu'elles se règlent ou subir les événements au fur et à mesure qu'ils surviennent ? Imaginez-vous dans la situation dont je vous parle, et dites-moi ce qu'il convient de faire. Dans une partie de hockey, si votre équipe tire de l'arrière, vous avez ces options de message :

- De toute façon, ils sont bien trop forts, on ne peut pas les battre.

- On est mieux d'attendre, ils vont peut-être se battre eux-mêmes.

— On se regroupe et on poursuit l'attaque, tout est encore possible !

Le message pertinent n'est pas difficile à reconnaître. Il n'en demeure pas moins que, dans notre monde, ce sont généralement les trois types de réactions possibles vis-à-vis des événements : provoquer, attendre ou subir.

Bien entendu, quand on est tranquillement assis à lire, il est évident qu'il faut provoquer les choses. C'est toutefois moins évident quand on est dans le feu de l'action. Pourtant, la même certitude devrait toujours nous animer. Il reste que de provoquer les événements, ça demande de la détermination et du courage. Et cette décision peut être prise en groupe, mais doit parfois être prise individuellement. Or, provoquer les choses n'est pas de tout repos. Il faut vraiment s'attendre à se battre.

« Quoi que tu rêves d'entreprendre, commence-le. L'audace a du génie, du pouvoir, de la magie. »

– JOHANN WOLFGANG VON GOETHE

Si vous attendez que la vie vous apporte ce que vous voulez sans vous investir ni risquer quoi que ce soit, vous ne pourrez jamais être gagnant. Si vous croyez encore que vous deviendrez le meilleur joueur de votre équipe ou de votre ligue en laissant aller les choses, vous vous trompez. Attendre que les choses se règlent d'elles-mêmes est rarement une solution efficace. Tout le monde le sait : on n'a rien sans rien. Toujours retarder les choses, faire de la procrastination, remettre vos actions à plus tard en espérant que tout se remettra en place comme il se doit, c'est spéculer sur un destin qui déciderait pour vous. Et ça, c'est encore plus hasardeux que la loterie.

Pour quelle raison pensez-vous que demain ce sera plus favorable pour vous entraîner? Pourquoi attendre à la dernière minute du match avant d'investir toute son énergie dans la bataille? Il n'y a pas de moment «parfait». Le moment est idéal lorsque vous déclarez qu'il l'est.

La dernière possibilité de cette équation est d'accepter de subir les choses. Celui qui provoque les événements est comme le conducteur d'un train, celui qui les attend comme le voyageur en attente du train, et celui qui les subit devient la personne qui se fait frapper par le train.

«Il existe trois types de personnes: celles qui créent les choses, celles qui observent les choses se créer et celles qui se demandent ce qui vient de se passer.»

– MARY KAY ASH

Lequel de ces trois types de personnes avez-vous été le plus souvent jusqu'ici dans votre vie? Si vous pensez que vous n'avez pas eu le choix d'être l'une ou l'autre de ces personnes, alors, vous êtes celle qui sera frappée par le train! Vous aviez le choix de créer la relation que vous vouliez avec le train de votre vie. Ce qui est merveilleux cependant, c'est que vous avez encore ce choix et que vous pouvez décider de modifier votre vie.

GUY LAFLEUR EST UNE DE CES PERSONNES QUI N'A PAS EU PEUR DE PROVOQUER LES ÉVÉNEMENTS. LORSQU'IL A ÉTÉ MOINS HEUREUX AVEC LES CANADIENS DE MONTRÉAL, IL N'A PAS HÉSITÉ À SE RETIRER DU HOCKEY. IL AURAIT PU SE SATISFAIRE DE MOINS DE TEMPS DE GLACE TOUT EN TOUCHANT SON SALAIRE SANS RIEN DIRE, MAIS C'ÉTAIT BIEN MAL LE CONNAÎTRE. JAMAIS IL N'AURAIT ACCEPTÉ DE VIVRE DANS UNE SITUATION QUI LE RENDAIT MALHEUREUX, MAIS QUI SURTOUT L'AURAIT EMPÊCHÉ DE JOUER AVEC PASSION ET D'OFFRIR AUX PARTISANS DES CANADIENS LE SEUL ET UNIQUE GUY LAFLEUR, AUTHENTIQUE ET VRAI À 100 %.

IL S'EST RETIRÉ POUR REVENIR EN FORCE AVEC LES RANGERS DE NEW YORK. ET QUI DE MIEUX PLACÉ POUR EXPLOITER À 100 % LES TALENTS DU DÉMON BLOND QUE LE TIGRE, MICHEL BERGERON ! JE N'AI PAS BESOIN DE VOUS DIRE QUE LA CHIMIE ENTRE CES DEUX PERSONNES S'EST RAPIDEMENT OPÉRÉE ET NOUS AVONS PU VOIR TOUT LE TALENT DE GUY SE DÉPLOYER LORSQU'IL EST REVENU EN FORCE, À MONTRÉAL, POUR COMPTER DEUX BUTS CONTRE SON ANCIENNE ÉQUIPE, LES CANADIENS DE MONTRÉAL.

22

Réussir, c'est servir

Pour mieux expliciter le titre de ce chapitre, je vous avoue qu'il s'agit en fait de développer une attitude qui permet de partager nos expériences, nos réussites et nos succès avec les autres.

Êtes-vous capable de donner sans rien attendre en retour? *Mieux vaut donner que de recevoir*, dit l'adage. Et c'est vrai. Donner, sans arrière-pensée, sans attendre de récompense ni de retour nous rapporte toujours.

Réussir n'est pas uniquement obtenir, mais aussi donner. En fait, réussir, c'est avant tout apporter une contribution significative aux gens qui nous entourent. Vous ne pourrez être reconnu comme quelqu'un qui a réussi que si vous donnez et aidez. Quand on est au sommet du succès dans un domaine, ou que l'on a fait un bon bout de chemin en ce sens, il est important de tendre la main et d'aider d'autres personnes à escalader cette montagne. C'est en aidant les autres que vous trouverez le sens le plus profond de la réussite. Aidez le plus de gens possible. Soyez accessible et disponible.

Je souhaite partager un texte d'un homme que j'admire, Kent Nagano, directeur musical et chef de l'Orchestre symphonique de Montréal[7].

« La réussite est intimement liée à l'image que l'on a de soi à des moments clés de notre existence. Notre vision des choses et notre définition de la réussite changent donc au rythme de notre développement, de nos expériences et avec notre entourage. Par exemple, lorsqu'on est jeune, on est souvent attaché aux choses que l'on peut compter. Combien d'argent est-ce que je gagne ? Combien ai-je de voitures ? Combien de prix ai-je remportés ? Et parfois même, combien ai-je d'amis ? Il s'agit de points de repère, somme toute, assez superficiels, mais ce sont des éléments qui, à ce moment-là de notre vie, sont importants.

« Un peu plus tard, on voit davantage les choses en fonction de notre carrière. Le succès dépend davantage de nos performances, de notre influence, parfois de notre leadership. C'est beaucoup plus tard que l'on se pose naturellement cette question : *est-ce que j'ai réussi ma vie ?* Je suppose qu'à ce moment, c'est surtout l'héritage à long terme qui guide nos pensées. Qu'est-ce que je vais laisser derrière moi de façon durable ? Je me pose cette grande question de plus en plus souvent, je dois dire. »

---

7. Ce témoignage est paru dans le livre *Réussir* de Jacques Ménard, paru aux éditions VLB. Jacques Ménard, président de BMO Groupe financier, s'intéresse à la réussite individuelle.

C'est très simple. Réussir, c'est servir. Une personne peut, théoriquement, réussir socialement. Mais quand on réussit seulement pour son ego, ça n'a aucune profondeur, aucun sens. Une réussite devient complète lorsqu'on reste soi-même et qu'on aide d'autres personnes à réussir. Les gens les plus heureux sont les gens qui partagent leur réussite et font en sorte que d'autres personnes montent avec eux sur la montagne du succès[8].

MARIO LEMIEUX EST UN AMI DE LONGUE DATE. IL EST TOUJOURS RESTÉ FIDÈLE AUX PENGUINS DE PITTSBURGH, MÊME QUAND LE CLUB N'AVAIT PAS LES MOYENS DE PAYER SON SALAIRE. TOUT LE MONDE CONNAÎT LA SUITE ET SA DÉCISION D'ACHETER L'ÉQUIPE POUR EN DEVENIR PROPRIÉTAIRE. IL A ÉTÉ FIDÈLE À L'ÉQUIPE, MAIS SURTOUT IL EST DEMEURÉ FIDÈLE À SES VALEURS. ET JE CROIS QU'ON EST TOUJOURS GAGNANT QUAND ON SE RESPECTE. J'AI D'AILLEURS L'IMPRESSION QUE LA VIE LE LUI A RENDU. EN EFFET, JAMAIS IL N'AURAIT IMAGINÉ POUVOIR REPÊCHER SIDNEY CROSBY, L'UN DES MEILLEURS JOUEURS AU MONDE. MAIS C'EST SA RELATION AVEC SON JOUEUR ÉTOILE QUI EST INTÉRESSANTE. MARIO A DÉCIDÉ DE L'INVITER À VIVRE CHEZ LUI. SIDNEY ÉTAIT TRÈS JEUNE ET MARIO VOULAIT S'ASSURER DE LUI DONNER TOUS LES CONSEILS ET TOUTE LA STABILITÉ POUR QU'IL RÉUSSISSE. IL LUI A MONTRÉ CE QUE C'ÉTAIT QUE DE DEVENIR UNE GRANDE VEDETTE. IL N'ÉTAIT CERTAINEMENT PAS OBLIGÉ D'AGIR AINSI, MAIS POUR MARIO, C'ÉTAIT UNE QUESTION D'HONNÊTETÉ QUI LUI PERMETTAIT DE REMETTRE UNE PARTIE DE CE QU'IL AVAIT REÇU DE LA VIE. IL N'A JAMAIS HÉSITÉ À S'INVESTIR. C'EST UN TRAIT DE CARACTÈRE DES GRANDS QUE DE FAIRE DON DE SOI.

8. Tiré du livre *Réussir* de Jacques Ménard.

Entre Lemieux et Crosby, pas la moindre jalousie. Mario est fier de ce que Sidney Crosby accomplit. Il souhaite même qu'il batte ses records et qu'il devienne le meilleur joueur au monde, car il l'a accueilli chez lui comme si c'était son fils.

Il a fait la même chose avec Marc-André Fleury lorsqu'il est arrivé à Pittsburgh. Sa femme et lui ont accueilli Marc-André avec beaucoup de plaisir. C'est d'ailleurs certainement rassurant pour un jeune qui arrive dans une ville inconnue que de se sentir bienvenu et de savoir que le propriétaire de l'équipe dans laquelle on évolue est un ami et un grand frère.

IL ME SEMBLE APPROPRIÉ ICI DE VOUS PARLER DU PARCOURS D'UN AUTRE JOUEUR DE LA LIGUE NATIONALE. IL S'AGIT D'ÉRIC BÉLANGER. IL AVAIT (ET IL A TOUJOURS) LA PASSION DU HOCKEY. POUR LUI, C'ÉTAIT UN RÊVE D'ENFANT ET CELA A ÉTÉ TOUT UN EXPLOIT QUE DE DEVENIR JOUEUR PROFESSIONNEL. APRÈS AVOIR TENU PLUSIEURS RÔLES DANS LES ÉQUIPES, SON MANDAT EST D'AIDER MAINTENANT LES PLUS JEUNES, CEUX QUI DÉBUTENT DANS LE MÉTIER. IL EST PARFOIS DIFFICILE POUR LES VÉTÉRANS DE MONTRER LEUR SAVOIR-FAIRE AUX PLUS JEUNES EN SACHANT QU'ILS SE RAPPROCHENT EUX-MÊMES DE LA PORTE DE SORTIE. CEUX QUI ACCEPTENT DE JOUER CE RÔLE SONT CONTENTS PAR LA SUITE D'AVOIR ÉTÉ UN EXEMPLE ET UN GUIDE POUR CES JEUNES. ILS EN TIRENT GÉNÉRALEMENT UNE GRANDE FIERTÉ. C'EST LE CAS D'ÉRIC. EN PRENANT CETTE RESPONSABILITÉ, ON NE PEUT PAS JOUER À FAIRE SEMBLANT. IL FAUT ÊTRE AUTHENTIQUE POUR Y ÊTRE HEUREUX. CELA NE REND CEPENDANT PAS CE QUI ARRIVE SUR LA GLACE PLUS FACILE À ACCEPTER.

ÉRIC M'A TÉLÉPHONÉ UN JOUR, ME DEMANDANT POURQUOI, MALGRÉ SON BON JEU, ON LE LAISSE SUR LE BANC. JE LUI AI EXPLIQUÉ QUE, DANS LA VIE, IL FAUT SAVOIR CHOISIR SES COMBATS. IL FAUT SAVOIR DÉCELER CE SUR QUOI ON A UNE INFLUENCE ET CE SUR QUOI ON N'EN A PAS. JE LUI AI DIT QU'IL N'A PAS DE CONTRÔLE SUR LA DÉCISION DE L'ENTRAÎNEUR DE LE LAISSER JOUER OU PAS. MAIS IL A DU CONTRÔLE SUR SA PERFORMANCE. S'IL FAIT DU MIEUX QU'IL PEUT, S'IL ATTEINT SES OBJECTIFS, IL PEUT RELEVER LA TÊTE, SOURIRE ET ÊTRE FIER DE LUI.

C'EST EN CHANGEANT NOTRE ATTITUDE QUE LES CHOSES CHANGENT. C'EST DANS LA TÊTE QUE ÇA SE PASSE! COMME JE VOUS L'AI DIT AU DÉBUT, VOUS VOUS HEURTEREZ À CERTAINS OBSTACLES. IL FAUDRA SORTIR ALORS VOTRE CARTE ROUTIÈRE, LES CONTOURNER, PRENDRE UN AUTRE CHEMIN, TENIR COMPTE DE LA DÉVIATION SIGNALÉE ET FAIRE UN DÉTOUR POUR GARDER VOTRE ROUTE.

C'est vrai aussi pour les joueurs d'une équipe. Ceux qui sont plus forts et plus rapides doivent partager avec ceux qui doivent travailler plus dur pour réussir. Ils doivent le faire sans juger, sans que l'autre ait l'impression d'être diminué, parce qu'il est essentiel de partager pour devenir encore meilleur.

Quand un nouveau joueur arrive dans une équipe, les plus anciens, les vétérans, devraient s'assurer que l'intégration se fasse adéquatement. Ce genre d'attitude permet aussi de resserrer les liens et de consolider l'esprit d'équipe. N'oubliez pas que, dans une équipe, chaque élément est important et a son rôle à jouer. Une expression dit qu'une chaîne est aussi forte que le plus faible de ses maillons. Car, voyez-vous, quelle que soit la grosseur de la chaîne, si un maillon est défectueux ou affaibli, c'est toute la chaîne qui est faible. Ce principe vaut aussi pour une équipe de hockey.

23

Ne jamais se prendre trop au sérieux

« Une journée sans rire est une journée perdue. »
– CHARLIE CHAPLIN

Les gens qui sont capables de rire d'eux-mêmes sus-
citent la joie et l'entrain. Ils créent un climat de
détente et de spontanéité autour d'eux et ils reçoivent
la sympathie, l'appréciation et l'amour des autres. Si vous
n'avez pas l'impression de susciter ce genre de réaction
dans votre entourage, vous êtes-vous déjà demandé si
vous vous preniez trop au sérieux?

« La vie est simple,
c'est le monde qui la complique. »
– WOODY ALLEN

Pour sortir de ce cercle vicieux, commencez dès
aujourd'hui à rire un peu plus de vous. Souvenez-vous

que si on ne vaut pas une risée, on ne vaut pas grand-chose. Ne vous en faites pas, les gens ne rient pas des gens qui savent rire d'eux-mêmes. On rit beaucoup plus des gens qui se prennent au sérieux. Rire de soi, c'est mieux s'accepter et ainsi mieux accepter les autres. Une touche d'humour est toujours une denrée appréciable. Essayez-le et vous aurez tellement d'amis que vous n'aurez plus le temps de vous prendre au sérieux.

J'AI AUSSI EU LE PLAISIR DE TRAVAILLER AVEC MARIO TREMBLAY À L'ÉMISSION *L'ANTICHAMBRE*, À RDS. QUELLE PERSONNE AUTHENTIQUE! LE MÊME HOMME QUE LORSQU'IL JOUAIT AVEC LES CANADIENS. IL SE DONNAIT À 100%, IL ÉTAIT INTENSE, IL NE S'EST JAMAIS PRIS AU SÉRIEUX. S'IL Y A QUELQU'UN QUI ARRIVE TRÈS BIEN À RIRE DE LUI-MÊME, C'EST BIEN LUI. IL EST DOTÉ D'UN GRAND SENS DE L'HUMOUR ET IL A UN ESPRIT DE RÉPARTIE EXTRAORDINAIRE, TOUJOURS À L'AFFÛT ET DANS LE VIF DU SUJET.

UN JOUR, J'AI ORGANISÉ UN SOUPER À LA MAISON POUR LES GENS DE *L'ANTICHAMBRE*. QUAND J'AI VU MARIO ARRIVER, J'AI SU QU'IL AVAIT MAL AU DOS. JE LUI AI ALORS FAIT UN TRAITEMENT DANS MA CLINIQUE, ET IL EN A ÉTÉ TRÈS RECONNAISSANT. CHOSE CERTAINE, IL NE SE PREND PAS AU SÉRIEUX, ET IL EST DEMEURÉ TRÈS CONSCIENT DE SES ORIGINES. SI VOUS ALLEZ AU SAGUENAY–LAC-SAINT-JEAN, À ALMA, VOUS VERREZ PAR VOUS-MÊME À QUEL POINT LES GENS L'AIMENT. C'EST CE QUI FAIT DE LUI UN GRAND HOMME. VOTRE PLUS BEL HÉRITAGE EST DE NE JAMAIS OUBLIER D'OÙ VOUS VENEZ.

●

EN 1986, ALORS QUE J'ÉTUDIAIS À L'UNIVERSITÉ McGILL, J'AI RENCONTRÉ DANY DUBÉ ET CLÉMENT JODOIN, DEUX PASSIONNÉS DE HOCKEY, ALORS QU'ILS ÉTAIENT AVEC LES PATRIOTES DE L'UNIVERSITÉ DU QUÉBEC À TROIS-RIVIÈRES (UQTR). J'AI REVU DANY, AU MOMENT OÙ IL DÉMARRAIT SON ENTREPRISE, DANS LE DOMAINE DE L'ACTIVITÉ PHYSIQUE. CHAQUE FOIS QUE NOUS AVONS EU LA CHANCE DE NOUS RENCONTRER, NOUS PARLIONS TOUJOURS DE HOCKEY ET LORSQUE DANY A ÉCRIT SON LIVRE *GÉRER, C'EST COACHER*, JE SUIS IMMÉDIATEMENT ALLÉ ME LE PROCURER. À TOUS LES MORDUS DE HOCKEY QUI AIMENT LA LECTURE, JE CONSEILLE DE LE LIRE.

C'EST DANS LA TÊTE! ALORS, MULTIPLIEZ LES RETOMBÉES DE VOS EFFORTS!

Bien des athlètes ont remarqué que leur performance est maximale certains jours, si bien qu'ils en arrivent à se demander: *Comment se fait-il que tout se soit passé si bien aujourd'hui? Qu'est-ce que je dois faire pour que ça continue?*

L'efficacité de notre cerveau et de notre système nerveux varie beaucoup au cours d'une journée, d'une semaine et des années. Sans que l'on en soit toujours conscient, nos pensées, nos habitudes de vie et notre environnement y jouent un rôle crucial.

Voici quelques moyens que vous pouvez utiliser quand vous désirez maximiser la performance de votre cerveau et de vos capacités:

1. DORMEZ BIEN!

Le cerveau bouillonne d'activité tout au long de votre sommeil. C'est son temps par excellence pour recharger ses batteries à plein, se mettre les nouveaux apprentissages de la journée en mémoire, passer en revue les moments d'émotions intenses pour pouvoir mémoriser les événements importants qui y sont rattachés, faire des liens entre les nouvelles informations enregistrées et celles déjà en mémoire, etc.

Le sommeil est si important pour la croissance mentale – tant psychologique que biologique – que de le restreindre ralentit notre progression.

Des études ont démontré qu'un sommeil écourté de 15 minutes seulement par rapport aux besoins de l'individu est suffisant pour réduire l'apprentissage, ralentir la réaction, influencer négativement l'humeur, la capacité à gérer le stress et la résilience.

En mesurant la performance du système nerveux, le docteur Marc Therrien, M.D., neurologue spécialisé en sommeil et en neuroperformance, a pu établir des liens précis entre les heures de sommeil, sa qualité, et la performance tant mentale que physique.

Essayez simplement ceci: pendant plusieurs nuits de suite, dormez autant que vous le souhaitez et permettez-vous de vous réveiller naturellement, sans cadran. Mesurez en même temps l'intensité maximale que vous pouvez produire à l'entraînement.

Ce surcroît d'efficacité lors d'un sommeil adéquat s'explique de multiples façons, dont un niveau accru d'énergie, de neurotransmetteurs, un meilleur équilibre hormonal et combien plus.

Si vous en avez besoin, les technologies actuelles permettent d'entraîner le cerveau à augmenter l'efficacité du sommeil et de la récupération. Selon votre profil cérébral, certains types d'entraînements en neurothérapie pourraient s'avérer très profitables!

2. RÉGLEZ VOTRE HORLOGE BIOLOGIQUE

En vous couchant et en vous levant sensiblement aux mêmes heures tous les jours, vous aiderez votre grande horloge biologique à mettre les quelques centaines de rythmes internes à la même heure. Lorsque ceci n'est pas possible en raison des déplacements, des matchs ou d'autres activités, il existe des moyens efficaces qui permettent soit de changer le pendule de l'horloge biologique, soit d'en réharmoniser les différents rythmes.

3. OFFREZ-VOUS DES MOMENTS DE BONHEUR

Lorsque vous ressentez des moments de grand bien-être, votre organisme libère des hormones clés impliquées dans la régénérescence de vos muscles, nerfs, etc. En d'autres mots, vous reprenez des forces plus vite et plus amplement, ce qui augmente votre performance au prochain match ou à l'entraînement.

Ne sous-estimez jamais la puissance des moments de récupération, surtout lorsqu'ils sont accompagnés d'un état de bien-être intense. Grâce aux appareils de rétroaction biologique, il est aujourd'hui possible de mesurer cet état physiologique et de l'entraîner à la hausse. Mais un bon vieux truc demeure : trouvez des façons de relaxer qui vous rendent profondément heureux et assurez-vous de les mettre en priorité entre les matchs et les entraînements !

4. NE VOUS LAISSEZ PAS DÉVORER PAR LE STRESS

Une des grandes révolutions des neurosciences au cours des 20 dernières années, c'est la découverte que le cerveau produit des neurones toute la vie durant. Par contre, lorsque le stress dépasse un certain seuil, cette production est arrêtée. Pire, trop de stress détruit même des régions clés du cerveau, reliées à la mémoire, à l'apprentissage, à l'humeur, à la gestion du stress et à la qualité du sommeil.

Par contre, vivre un stress momentané parce qu'on se lance des défis risque de faire croître notre cerveau et nos capacités. Mais assurons-nous que l'intensité et la durée du stress sont limitées. Si jamais nous nous sentons paralysés par la peur, épuisés de fatigue, rongés par le stress, nous nous en demandons peut-être trop pour que le résultat final nous procure un maximum d'avancées.

5. NOURRISSEZ BIEN VOTRE CERVEAU ET VOTRE CORPS

Il faut suffisamment de protéines maigres, de sources animales de préférence (poisson, viande maigre, protéines de petit-lait, etc.), et consommées au moins toutes les trois heures (et plus fréquemment pendant et autour des séances d'entraînement), pour permettre d'obtenir un maximum d'efficacité mentale et physique.

N'oubliez pas que les transmissions chimiques au cœur du cerveau sont faites par des neurotransmetteurs qui sont principalement constitués d'acides aminés (dérivés des protéines), et que le cerveau doit puiser ces éléments dans la circulation sanguine, étant donné qu'il n'en fait pas de réserves. Si vous êtes un athlète avec un volume d'entraînement important, multipliez votre poids en kilogrammes par deux afin de connaître le nombre minimal de grammes de protéines que vous devriez consommer au total, chaque jour. Il vous restera ensuite à répartir cette consommation de façon optimale et régulière tout au long de la journée.

Les gras de poisson offrent la plus grande fluidité au sein des membranes neuronales et les gras saturés, la pire. Assurez-vous d'obtenir un maximum de gras de type oméga-3 (huile de poisson et graines de lin moulues), peu de gras saturés (gras animal présent surtout dans la viande et les produits laitiers) et un peu de gras végétaux (huiles végétales, noix et graines). Les olives et l'huile d'olive sont des acides gras oméga-9 qu'on peut aussi consommer pour leurs effets positifs.

Tirez le sucre nécessaire à l'entraînement des légumes et des fruits, et essayez de réduire le sucre raffiné, l'alcool, le pain, les pâtes, etc. Si vous avez besoin d'une énergie rapidement disponible, allez-y avec les bananes, les patates douces et les compotes de fruits, dont les minéraux permettront d'équilibrer le pH sanguin, lequel varie beaucoup en fonction de vos entraînements.

Restez bien hydraté en buvant de l'eau régulièrement, en petites quantités, de façon à ne jamais ressentir la soif. Aussi, méfiez-vous de l'eau vendue dans des bouteilles de plastique mince, car certains composés qui nuisent à l'équilibre hormonal se retrouvent vite dans l'eau et dans votre organisme.

6. ENTRETENEZ VOS LIENS DE SOUTIEN

Un animal en cage qui est soumis à des stress incontrôlables peut augmenter sa résilience au point de la doubler si on fait entrer un autre animal avec lui, dans la cage. L'humain est un être sociable qui a besoin de communication et de relations avec les autres. Le temps que vous investissez à entretenir des liens avec des personnes qui vous font du bien peut vous permettre de supporter bien plus de pression. Quel moyen agréable d'investir dans son succès!

7. AUGMENTEZ VOTRE NIVEAU D'ATTENTION ET DE CONCENTRATION

Les régions du cerveau situées derrière votre front deviennent très actives lorsque vous vous concentrez. Et cette faculté est essentielle sur le terrain. Pour créer un état de concentration, les régions frontales ont besoin d'un surcroît de glucose et d'oxygène qu'elles obtiennent en dilatant les vaisseaux sanguins qui les irriguent.

Pour favoriser ce processus, surveillez votre alimentation dans les quatre heures précédant un entraînement ou un match: minimisez votre consommation de gras saturés, prenez au moins une capsule d'huile de poisson, de même que des aliments à haute teneur en antioxydants (légumes et fruits de couleurs vives, cacao, certaines épices telles que le curcuma et le poivre).

Une activation en aérobie est aussi, et de loin, la meilleure façon de stimuler l'activité des lobes frontaux. Plus grande est l'accélération de votre rythme cardiaque, plus de molécules chimiques facilitant votre concentration votre cerveau produira. Attention par contre de ne pas vous épuiser, ce qui produirait un effet contraire.

8. VISUALISEZ

Plus une activité est claire à l'esprit, plus performant est l'athlète sur le terrain. Cette capacité de visualisation se développe par un entraînement précis, par exemple des scénarios de visualisation ou la répétition mentale de sa performance.

Pour bien ancrer vos performances dans votre esprit, pratiquez-les juste avant une sieste ou une période de sommeil. Précédez-les de la formulation de vos objectifs afin de profiter de ce moment où vos ondes cérébrales ralentissent : votre subconscient les enregistrera avec force !

9. CONNAISSEZ BIEN VOTRE CERVEAU, SES FORCES ET SES FAIBLESSES, ET ENTRAÎNEZ-LE AUTANT QUE VOTRE CORPS !

Votre cerveau est unique, de même que les moyens d'en optimiser la performance. Mieux on connaît son mode de fonctionnement, plus il devient possible d'en améliorer l'harmonie de travail et la performance. Un tel processus pourrait même influer très positivement sur votre performance tant sportive qu'affective et cognitive !

Le même principe s'applique pour notre niveau de stress, notre réactivité au stress et notre capacité de retrouver un état de calme profond propice à la régénérescence. Pour l'athlète, cela lui permet d'entrer plus facilement «dans sa zone de performance », car il apprend, pour y accéder, à maîtriser tout l'art d'abaisser son niveau de stress, tout comme de stimuler sa vigilance, afin de se placer dans l'état le plus propice à une performance optimale.

Parce que ça se passe vraiment dans la tête !

Nous voici arrivés à la dernière étape. Que faut-il retenir de ce livre ?

Que notre cerveau est une formidable machine, mais encore faut-il savoir comment il fonctionne. Pour un jeune joueur de hockey ou pour les plus vieux, investir dans une bonne tête est la meilleure chose à faire. Misez sur la reconstruction de votre cerveau d'une façon plus saine et efficace. Plus la science évolue, plus on se rend compte que notre cerveau nous dicte la qualité de notre vie. Il est l'organe qui crée la concentration, la bonne humeur, la créativité, les capacités relationnelles, l'intuition et le plaisir qui nous mènent à nos rêves.

Nous savons maintenant comment se créent nos pensées, comment optimiser notre concentration et notre communication interne. De plus, comme c'est le cas pour l'entraînement physique, nous savons qu'il est maintenant possible de développer une façon consciente de bien travailler son cerveau. Alors, non seulement faut-il s'entraîner physiquement, mais aussi s'entraîner mentalement, car 95 % de notre réussite dépend de ce qui se passe dans notre tête.

Rappelez-vous que l'évolution des connaissances en neurosciences ont permis de constater que notre cerveau est l'organe le plus plastique qui soit, ce qui signifie qu'il a cette capacité de se modifier constamment. Que chaque jour, de nouveaux circuits électriques donnent naissance à de nouveaux neurones, et que peu importe notre âge, notre cerveau possède une capacité d'auto-transformation inégalée. Il est donc important de savoir que nos pensées, nos actions, notre entraînement, notre alimentation, nos émotions et nos sentiments viennent modifier de façon importante la biochimie et la neurologie de notre cerveau.

Un cerveau performant procure plusieurs avantages. Il peut nous faire résister au stress, nous apporter un sommeil de qualité, du plaisir, de la sensibilité. Il permet de se sentir plein d'énergie, motivé et en pleine possession de ses moyens. En comprenant ce qui se passe dans notre tête, on se place dans des conditions idéales pour prendre de meilleures décisions et être en mesure de marcher solidement vers la réalisation de nos rêves. Et c'est à ce moment-là que l'on contribue à son propre bonheur et à celui des autres autour de nous.

Dotez-vous des habiletés pour vous permettre de développer un cerveau à toute épreuve, contre la pression et pour mieux vous connaître. Ainsi, à la fin de chaque partie, vous pourrez vous dire : *j'ai fait de mon mieux, je n'ai pas cédé à la pression, je suis fier de ce que j'ai accompli physiquement et mentalement.* Chaque partie et chaque entraînement devront se terminer par cette phrase : « Je suis fier de moi, je me suis surpassé dans tous les aspects de mon jeu. » De cette façon, vous vous rapprocherez de votre rêve d'évoluer à un niveau plus compétitif et peut-être même un jour dans la Ligue nationale de hockey.

Mais attention, il est faux de croire que seuls un entraînement physique très fort et une bonne éthique de travail vous mèneront automatiquement à la réussite. Encore faut-il savoir ce que vous désirez vraiment.

« Rêvons nos vies et vivons nos rêves ! »

– SYLVAIN GUIMOND

Un bref témoignage
et quelques remerciements

Permettez-moi de remercier des personnes très importantes pour l'essor du hockey au Québec. D'abord Gaston Therrien, actuellement président de la Ligue de hockey Midget AAA du Québec, qui veille à la sécurité des jeunes et à leur bon développement, même sur le plan scolaire.

Certaines rencontres dans une vie changent vraiment tout. Gaston Therrien, un mordu du hockey, du détail et de l'analyse – que j'ai appris à connaître de mieux en mieux en travaillant avec lui à *L'Antichambre* – m'a procuré une de celles-là. Il ne juge jamais les gens et n'hésite pas à donner son opinion, même s'il peut être contesté.

Pour lui, le hockey est une passion incroyable. Gaston nous a raconté plusieurs anecdotes relatives à la période où il jouait dans la ligue de hockey junior. Il en a tellement à relater qu'on le considère comme l'encyclopédie d'anecdotes drôles du hockey. Avec Gaston il n'y a pas de zone grise, c'est blanc ou noir. Il parle de façon si directe qu'on est certain d'avoir l'heure juste avec lui. Et comme dans ce monde la communication claire et précise est très importante, il s'y débrouille très bien.

Gilles Courteau, président de la Ligue de hockey junior majeur du Québec, a veillé de son côté à sécuriser le jeu tout en facilitant l'aspect des études académiques pour sa jeune clientèle. Il n'a pas hésité à mettre en place des règles strictes pour éviter des blessures aux joueurs. Il tient compte autant de l'intégrité physique que psychologique des jeunes, en mettant à leur disposition une équipe médicale et un comité afin d'assurer leur soutien.

Il y a une personne qu'on ne peut pas passer sous silence quand on parle de hockey au Québec, c'est André Ruel. Il a longuement fait partie de l'organisation de Drummondville et maintenant il donne son expertise à l'écurie de Pat Brisson. André est l'une des personnes les plus habilitées à évaluer le talent d'un joueur de hockey. Il agit vraiment dans l'intérêt du jeune ; je l'ai vu travailler, il s'assure toujours que le jeune est heureux à l'endroit où il joue.

Si vous le rencontrez, peu importe votre rôle au sein du hockey, allez lui parler et voyez sa philosophie. Il est d'un calme incroyable et rassurant. Mon conseil est justement d'être rassurant et apaisant vis-à-vis des jeunes pour leur bien-être. André Ruel, chapeau !

Et finalement Roger Dubois est un type qui a aidé plusieurs équipes sur le plan financier, mais principalement la concession de Drummondville, à laquelle il permit de demeurer en place. C'est également lui qui a instauré la règle qui recommande d'interdire la mise en échec chez les joueurs en bas âge. Et c'était une bonne idée quand on voit à quel point les commotions cérébrales sont dangereuses et peuvent occasionner de graves séquelles. Le hockey est un sport de contact, mais il faut s'assurer d'une pratique sécuritaire.

●

Je m'en voudrais également de ne pas mentionner Gaétan Lefebvre, qui a été soigneur des Canadiens durant plusieurs années. Il était présent aussi lors des deux dernières conquêtes de la coupe du Tricolore, soit celles de 1986 et de 1993. Comme Gaston Therrien, cet homme a tellement d'anecdotes à raconter. Et il ne tarit pas d'éloges sur les grands du hockey, notamment quand il parle de messieurs Jean Béliveau et Serge Savard. Je souhaite à tous les jeunes joueurs de hockey d'avoir la chance de rencontrer un jour Gaétan Lefebvre.

Il est le genre de collaborateur sur lequel les organisateurs de hockey aiment compter. À titre de soigneur, il a veillé assidûment à la bonne condition physique des joueurs, à les ramener au jeu le plus rapidement possible, et surtout à ce que les joueurs évitent de se blesser de nouveau.

Combien de fois a-t-il chaussé ses espadrilles pour aller courir et s'entraîner avec eux, pour faire en sorte qu'ils gardent leur motivation et qu'ils soient en bonne disposition psychologique pour revenir au jeu ? Bien entendu, sitôt qu'un joueur se blesse, il se retrouve hors jeu, souvent durant quelques semaines, ce qui lui donne un sentiment d'impuissance car il ne peut alors faire partie de l'équipe. C'est du moins ce qu'il ressent.

Gaétan travaillait de façon que le joueur se sente aussi impliqué durant sa période de guérison. Il tissait des liens afin que le joueur puisse se confier en étant près de lui. Les psychologues sportifs s'entendent pour dire que le soigneur est d'une importance capitale. Gaétan en est la preuve vivante, car le joueur qui se blesse se retrouve en premier lieu à l'infirmerie et ensuite à la salle d'entraînement pour rétablir sa bonne forme physique. Il passe donc beaucoup de temps avec le soigneur.

Le message que je tiens à communiquer aux soigneurs, c'est que votre écoute est tout aussi importante pour les jeunes que vos encouragements. Soyez attentifs à déceler le moindre signe de dépression. Si vous en ressentez le besoin, n'hésitez pas à faire appel à d'autres professionnels de la santé qui pourront vous appuyer afin d'aider le jeune à traverser cette période difficile pour lui.

Le jeune joueur ne doit pas hésiter non plus à dire ce qui ne va pas, à énoncer ses craintes et ses peurs, à dire en fait ce qu'il vit intérieurement.

À n'en pas douter, Gaétan est de la trempe des vrais, car quand il vous parle de Jacques Demers, ses yeux s'illuminent. Il faut dire que les deux ont gagné ensemble la coupe Stanley en 1993. Et s'il y a une personne sur terre qui ne dénigre jamais les autres, c'est bien lui.

●

Je veux saluer de plus le travail et la persévérance de Dave Morissette, aujourd'hui chroniqueur et animateur sportif, qui a été un joueur de hockey reconnu de la LNH. Sa carrière n'a pas toujours été de tout repos, car il a dû se battre pour faire son chemin. Et croyez-moi, ce n'est pas simplement une figure de style que j'emploie ici. Il était en effet considéré comme un vrai batailleur. Après avoir subi plusieurs commotions cérébrales, il a été le premier, au terme de sa carrière, à dénoncer et à mettre en lumière à quel point l'utilisation de stéroïdes et d'autres substances néfastes à la condition physique des joueurs, était un fléau. Il a eu le courage de le faire afin de protéger nos jeunes de cet emploi abusif de la drogue pour percer et se tracer un chemin. Je lui lève mon chapeau !

Je le respecte beaucoup et je l'admire, car il n'a pas eu peur de foncer pour édifier une nouvelle carrière. En passant de joueur de hockey à restaurateur, puis à homme d'affaires, pour devenir aujourd'hui un chroniqueur sportif respecté et aimé de la population, il a réussi à s'adapter aux changements. On l'a vu à *L'Antichambre* et à TVA Sports, où il fait un travail exceptionnel.

Dave a su utiliser l'expérience et les réalisations que sa passion lui a permis d'atteindre. Il a aussi su s'adapter et évoluer sans cesse tout en restant lui-même.

●

J'aimerais remercier enfin trois autres passionnés du hockey qui ont à cœur de vous communiquer leur passion. Le premier est Martin Larocque, producteur de *L'Antichambre* et de *L'Entracte*, deux émissions diffusées sur RDS (Réseau des Sports). Le deuxième, mon ami Yannick Lévesque, le coproducteur et animateur des deux mêmes émissions. Le troisième, Joël Quesnel, producteur et président du Groupe Nexzo inc. Voici l'exemple de trois personnes qui ont su provoquer les événements, en inventant et créant des moments télévisuels pour communiquer leur passion du hockey à tous les téléspectateurs de RDS.

●

En résumé, dans mon livre, *Le hockey, c'est dans la tête!*, j'ai voulu en premier vous transmettre ma passion pour notre sport national. Je suis tombé amoureux de ce sport dès l'âge de quatre ans, et je sais que je continuerai à jouer tant et aussi longtemps que j'en serai capable. Si tout comme moi vous avez la passion et le goût d'évoluer sur patins durant toute votre vie, alors selon moi, c'est cela la réussite au hockey. Et mon livre vous a sans doute aidé.

J'ai un dernier message pour vous, les parents. Au fil de ma carrière, j'ai rencontré les parents de plusieurs joueurs de la Ligue nationale, dont Mario Lemieux, Marc-André Fleury, Vincent Lecavalier, Maxime Talbot, François Beauchemin, Bruno Gervais et Mathieu Darche. J'ai constaté qu'ils ont tous plusieurs points en commun, dont celui d'avoir soutenu et encouragé leurs fils avec amour, dans les plus beaux moments comme dans les plus difficiles.

Quant aux rares d'entre vous qui réussirez à gagner votre vie dans ce sport, j'espère que vous y serez toujours heureux. Mais pour y arriver, vous devrez posséder un tout petit peu de talent, beaucoup de détermination et de persévérance, mais surtout et avant tout, vous devez vous engager fermement à payer le prix pour y arriver. Toutefois, je peux vous garantir qu'à travers ce processus d'amélioration, dans ce plus beau sport du monde, vous serez devenus de jeunes hommes et de jeunes femmes plus responsables et plus déterminés.

Finalement, le hockey, c'est l'école de la vie. Cette mini-société où l'on vit tout de façon accélérée. Alors, allez-y et amusez-vous!

Je m'en voudrais de ne pas souligner en terminant l'apport des gens qui ont contribué aux histoires racontées dans ce livre :

Adam Bourque, Alex Tanguay, Andréanne Morin, Bob Hartley, Bruno Gervais, Cristina Versari, Dany Dubé, Dave Morissette, David Desharnais, David Lemieux, Denis Gauthier, Éric Bélanger, Éric Messier, François Beauchemin, Gaétan Lefebvre, Gaston Therrien, Gilles Courteau, Guy Lafleur, Jacques Demers, Jean Béliveau, Jean Morin, Joël Quesnel, la famille Darche (Édouard, Jean-Philippe et Mathieu), Luc Gélinas, Marc-André Fleury, Mario Lemieux, Mario Tremblay, Martin Latulippe, Martin Saint-Louis, Martin Larocque, Mathieu Raby, Max Pacioretty, Maxime Talbot, Michel Bergeron, Michel Therrien, Pascal Vincent, Pat Brisson, Pierre Larouche, Roger Dubois, Shane Doan, Stéphane Auger, Steve Bégin, Sidney Crosby, Theoren Fleury, Vincent Guimond et Yannick Lévesque.

Je vous remercie tous personnellement.

Sylvain Guimond

Qui est Sylvain Guimond ?

Docteur en psychologie, spécialisé en psychologie du sport, ostéopathe et éducateur physique, Sylvain Guimond est un expert de réputation mondiale en posture et en psychologie sportive. Il est le président et fondateur de Biotonix, il a conçu un système d'évaluation de la posture et de la condition physique. L'entreprise a ainsi pu aider plus d'un million de personnes dans le monde.

Sylvain est depuis peu le nouveau consultant en psychologie du sport des Canadiens de Montréal.

Il s'associe pour une première à une équipe sportive en tant que docteur en psychologie du sport, lui qui a traité plus de 1000 athlètes dans sa carrière en biomécanique, dont Mario Lemieux et Tiger Woods.

Au fil de ses activités, il a réussi à comprendre l'étroite relation entre la santé physique et la santé psychologique. À preuve, sa dissertation et sa thèse pour l'obtention de son doctorat portaient sur la relation qui existe entre la posture et la personnalité d'un individu. Parmi ses patients, dont la plupart sont aussi rapidement devenus des amis, on peut mentionner Ginette Reno, Mario Lemieux, Tiger Woods, Arnold Schwarzenegger, le Dr Patch Adams, Marc Gagnon, Sylvie Fréchette, et bien d'autres. Des personnalités provenant autant du monde des affaires que de ceux du sport ou de la culture. Le fait de les côtoyer lui a permis de constater que ces personnes avaient toutes des caractéristiques communes qui leur ont permis d'atteindre leurs objectifs. Or, ces particularités, tout le monde peut viser à les acquérir ou à les développer, croit-il.

Depuis quelques années, il agit aussi comme chroniqueur auprès de plusieurs médias, principalement des télédiffuseurs, où il présente, de façon simple et concrète, certains fondements de la psychologie appliquée aux sports. Il est également l'auteur du livre *Dans mes souliers: devenez vous-même. Pourquoi P.A.S? Pour l'accomplissement de Soi.*

Enfin, il est un conférencier recherché et un consultant spécialiste auprès de nombreuses organisations du monde du sport et des affaires, des milieux universitaire et scientifique.

Pour en savoir d'avantage
ou pour communiquer avec l'auteur,
consultez son site Internet:

www.sylvainguimond.com